VERIFICACIONES del progreso

Manual del maestro
con contenido reproducible para el estudiante

1

miVisión LECTURA

Glenview, Illinois Boston, Massachusetts
Chandler, Arizona Nueva York, Nueva York

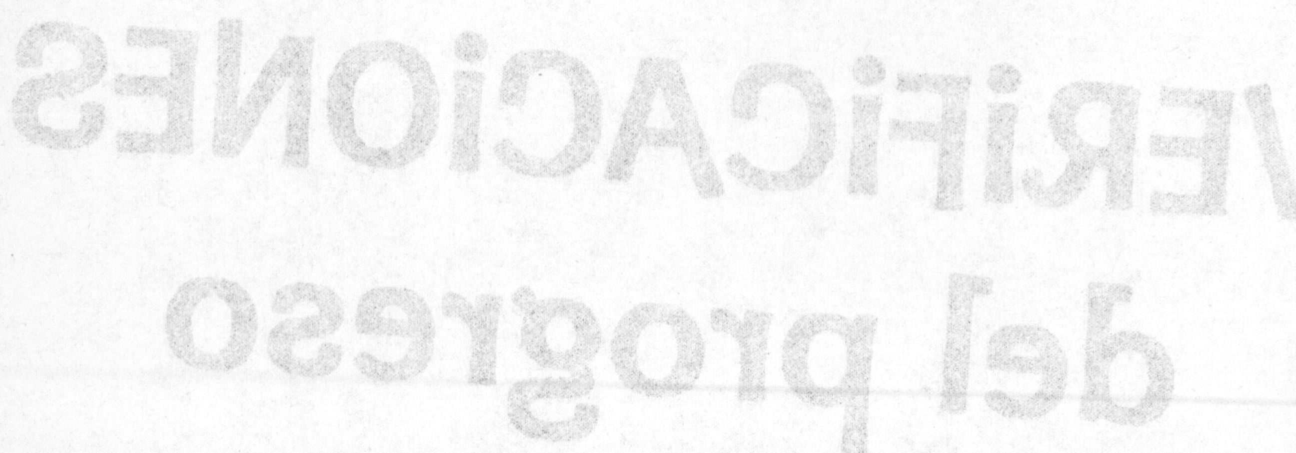

ISBN 13: 978-0-13-491418-3
ISBN 10: 0-13-491418-X
2 19

Contenido Contents

Vistazo general y descripción Overview and Description

VISTAZO GENERAL OVERVIEW

The *Verificaciones del progreso* are an important part of the wide array of formal assessments and classroom assessments that support instruction *in miVisión Lectura.* These check-ups are designed to measure students' progress based on the high-frequency words, phonics, comprehension, and writing taught in each week of instruction. Some items in these assessments are formatted to help students gain experience with the item format and stem language they will experience in the state test.

This Teacher's Manual includes the following: (1) a description of the *Verificaciones del progreso*, (2) instructions for administering the check-ups, (3) instructions for scoring and recording assessment results, (4) reproducible charts on which to track students' progress, (5) item analysis charts with alignments to assessment items' skills and standards, (6) a scoring rubric for writing, (7) top-level responses for the short-response and Writing portion of each *Verificación del progreso*, (8) an answer key, and (9) reproducible student assessment pages.

DESCRIPCIÓN DE LAS VERIFICACIONES DEL PROGRESO
DESCRIPTION OF THE PROGRESS CHECK-UPS

In Grade 1, there are 25 check-ups—one for each instructional week in the Pearson *miVisión* program. *Verificaciones del progreso* assess Grade 1 students in a developmentally appropriate manner. Units 1 and 2 present answers as pictures to accommodate the expectations that many students may not be strong readers; Units 3–5 transition into full text assessments. Each *Verificación del progreso* contains four sections.

- The ***Palabras de uso frecuente*** section consists of five multiple-choice questions that assess students' knowledge of the week's high-frequency words. In Units 1 and 2, teacher scripting is provided for each item.
- The ***Fonética*** section consists of five multiple-choice questions that assess students' knowledge of the week's phonics skills. In Units 1 and 2, teacher scripting is provided for each item.
- In Units 1 and 2, the ***Comprensión auditiva*** section consists of a selection read aloud to students and four multiple-choice questions and one short-response question that assess students' knowledge of the week's comprehension focus. Many answer choices in Units 1 and 2 are provided as pictures. Students draw and write their answer to the short-response question.
- In Units 3–5, the ***Comprensión de lectura*** section consists of a selection that students read themselves and four multiple-choice questions and one short-response question that assess students' knowledge of the week's comprehension focus. Students write their answer to the short-response question.
- The ***Escritura*** section consists of a writing prompt that asks students to draw and write in a particular writing mode.

Administración, calificación y refuerzo

Administering, Scoring, and Reteaching

ADMINISTRACIÓN DE LAS VERIFICACIONES DEL PROGRESO
ADMINISTERING THE PROGRESS CHECK-UPS

The *Verificaciones del progreso* should be administered at the end of the instruction for each week.

These assessments are not intended to be timed. However, for the purposes of scheduling, planning, and practicing for timed-assessment situations, the *Verificaciones del progreso* can be administered in 45 minutes (approximately 15 minutes for the first two sections, 15 minutes for the *Comprensión auditiva/de lectura* section, and 15 minutes for the *Escritura* section).

Questions and answer choices for the Grade 1 *Verificaciones del progreso* in the first two units of instruction should be read aloud to students (specific directions for administering the *Verificaciones del progreso* can be found beginning on page T20). Students should answer multiple-choice items by circling the correct answer choice. Short-answer responses should be written on a separate sheet of paper. Teacher directions in **bold** should be read aloud. Other teacher directions are for your information.

CALIFICACIÓN DE LAS VERIFICACIONES DEL PROGRESO
SCORING THE PROGRESS CHECK-UPS

Reproductions of student pages containing annotated answers begin on page T44. Refer to the annotated answers for the *Verificación del progreso* you are scoring and mark each multiple-choice question as either correct (1 point) or incorrect (0 points). To score the *Escritura* section, refer to the rubric on page T14.

When you have finished scoring a student's *Verificación del progreso*, complete the appropriate row on the Student Progress Chart and the Class Progress Chart. Doing so allows you to keep track of students' total scores as well as their scores on each of the individual sections of the assessment. The chart can also help you monitor students' progress throughout the year. Refer to the Item Analysis charts that begin on page T9 to identify what each item assesses and the Texas Essential Knowledge and Skills (TEKS) standard or standards aligned to each item.

OPCIONES PARA EL REFUERZO RETEACHING OPTIONS

If a student receives a low score on a *Verificación del progreso* or shows a lack of adequate progress during the year, use *miEnfoque* Intervention, Level B to provide the student with additional opportunities to practice high-frequency words, phonics, comprehension, and writing. This can be done through large-group, small-group, or individual instruction.

TABLA DE PROGRESO DEL ESTUDIANTE: GRADO 1 STUDENT PROGRESS CHART—Grade 1

Nombre: ____

Verificación Check-Up	**Palabras de uso frecuente** High-Frequency Words	**Fonética** Phonics	**Comprensión auditiva / de lectura** Listening / Reading Comprehension	**Subtotal** Subtotal	**Escritura** Writing	**TOTAL**
Unidad 1 Semana 1	/5	/5	/5	/15		
Unidad 1 Semana 2	/5	/5	/5	/15		
Unidad 1 Semana 3	/5	/5	/5	/15		
Unidad 1 Semana 4	/5	/5	/5	/15		
Unidad 1 Semana 5	/5	/5	/5	/15		
Unidad 2 Semana 1	/5	/5	/5	/15		
Unidad 2 Semana 2	/5	/5	/5	/15		
Unidad 2 Semana 3	/5	/5	/5	/15		
Unidad 2 Semana 4	/5	/5	/5	/15		
Unidad 2 Semana 5	/5	/5	/5	/15		
Unidad 3 Semana 1	/5	/5	/5	/15		
Unidad 3 Semana 2	/5	/5	/5	/15		
Unidad 3 Semana 3	/5	/5	/5	/15		
Unidad 3 Semana 4	/5	/5	/5	/15		
Unidad 3 Semana 5	/5	/5	/5	/15		
Unidad 4 Semana 1	/5	/5	/5	/15		
Unidad 4 Semana 2	/5	/5	/5	/15		
Unidad 4 Semana 3	/5	/5	/5	/15		
Unidad 4 Semana 4	/5	/5	/5	/15		
Unidad 4 Semana 5	/5	/5	/5	/15		
Unidad 5 Semana 1	/5	/5	/5	/15		
Unidad 5 Semana 2	/5	/5	/5	/15		
Unidad 5 Semana 3	/5	/5	/5	/15		
Unidad 5 Semana 4	/5	/5	/5	/15		
Unidad 5 Semana 5	/5	/5	/5	/15		

TABLA DE PROGRESO DE LA CLASE: GRADO 1 CLASS PROGRESS CHART—GRADE 1

Nombre: ______________________________

Verificación del progreso: Puntuación total Progress Check-Up Total Score																									
Nombre del estudiante Student Name	U1S1	U1S2	U1S3	U1S4	U1S5	U2S1	U2S2	U2S3	U2S4	U2S5	U3S1	U3S2	U3S3	U3S4	U3S5	U4S1	U4S2	U4S3	U4S4	U4S5	U5S1	U5S2	U5S3	U5S4	U5S5

Tablas de análisis de las preguntas Item Analysis Charts

VERIFICACIÓN DEL PROGRESO: GRADO 1, UNIDAD 1 GRADE 1, UNIT 1 PROGRESS CHECK-UP

VERIFICACIÓN DEL PROGRESO PROGRESS CHECK-UP	**SECCIÓN** SECTION	**PREGUNTAS** ITEMS	**ENFOQUE DE LAS PREGUNTAS / DESTREZA** ITEM FOCUS/ SKILL	**NIVEL *DOK*** DOK LEVEL	**OPORTUNIDADES DE REFUERZO DE *miENFOQUE*** *myFOCUS* REMEDIATION OPPORTUNITIES	**CCSS**
UNIDAD 1 SEMANA 1	Palabras de uso frecuente	1–5	Palabras de uso frecuente	Preguntas 1–5 DOK 1	Lecciones 30–31	LF.1.3.g
	Fonética	6–8	Las vocales *a, e, i, o, u*	Preguntas 6–10 DOK 2	Lecciones 14–15	Preguntas 6–8 LF.1.2.a
		9–10	Las consonantes *m, p*			Preguntas 9–10 LF.1.2.3
	Comprensión auditiva	11–15	Describir a los personajes	Preguntas 11–13 DOK 1; Preguntas 14–15 DOK 2	Lecciones 45–46	LL.1.3
	Escritura	Instrucciones	Narrativa	Escritura DOK 3	Lección 56	E.1.3
UNIDAD 1 SEMANA 2	Palabras de uso frecuente	1–5	Palabras de uso frecuente	Preguntas 1–5 DOK 1	Lecciones 30–31	LF.1.3.g
	Fonética	6–10	La consonante *l* inicial y final	Preguntas 6–10 DOK 2	Lección 15	LF.1.3.1
	Comprensión auditiva	11–13	Describir el ambiente	Preguntas 11–15 DOK 1	Lección 39	LL.1.3
		14–15	Hacer inferencias			
	Escritura	Instrucciones	Narrativa	Escritura DOK 3	Lecciones 55–56	E.1.2
UNIDAD 1 SEMANA 3	Palabras de uso frecuente	1–5	Palabras de uso frecuente	Preguntas 1–5 DOK 1	Lecciones 30–31	LF.1.3.g
	Fonética	6–10	La consonante *s* inicial y final	Preguntas 6–10 DOK 2	Lección 16	LF.1.2.3
	Comprensión auditiva	11–15	Identificar la idea principal	Preguntas 11, 13–14 DOK 1; Preguntas 12, 15 DOK 2	Lección 49	LI.1.6
	Escritura	Instrucciones	Narrativa	Escritura DOK 3	Lección 56	E.1.3
UNIDAD 1 SEMANA 4	Palabras de uso frecuente	1–5	Palabras de uso frecuente	Preguntas 1–5 DOK 1	Lecciones 30–31	LF.1.3.g
	Fonética	6–10	La consonante *n* inicial y final	Preguntas 6–10 DOK 2	Lección 15	LF.1.2.3
	Comprensión auditiva	11–15	Describir a los personajes	Preguntas 11-14 DOK 1; Pregunta 15 DOK 2	Lección 45–46	LL.1.3
	Escritura	Instrucciones	Narrativa	Escritura DOK 3	Lección 56	E.1.3
UNIDAD 1 SEMANA 5	Palabras de uso frecuente	1–5	Palabras de uso frecuente	Preguntas 1–5 DOK 1	Lecciones 30–31	LF.1.3.g
	Fonética	6–7	La consonante *d*	Preguntas 6–10 DOK 2	Lección 15	LF.1.2.3
		8–10	La consonante *t*			
	Comprensión auditiva	11–15	Usar gráficos	Preguntas 11–14 DOK 1; Pregunta 15 DOK 2	Lección 49	LI.1.3
	Escritura	Instrucciones	Narrativa	Escritura DOK 3	Lección 56	E.1.2

VERIFICACIÓN DEL PROGRESO: GRADO 1, UNIDAD 2

GRADE 1, UNIT 2 PROGRESS CHECK-UP

VERIFICACIÓN DEL PROGRESO PROGRESS CHECK-UP	**SECCIÓN** SECTION	**PREGUNTAS** ITEMS	**ENFOQUE DE LAS PREGUNTAS / DESTREZA** ITEM FOCUS/ SKILL	**NIVEL *DOK*** DOK LEVEL	**OPORTUNIDADES DE REFUERZO DE *miENFOQUE*** *myFOCUS* REMEDIATION OPPORTUNITIES	**CCSS**
UNIDAD 2 SEMANA 1	Palabras de uso frecuente	1–5	Palabras de uso frecuente	Preguntas 1–5 DOK 1	Lecciones 30–31	LF.1.3.g
	Fonética	6–8	La consonante *b*	Preguntas 6–10 DOK 2	Lecciones 15–16	LF.1.2.3
		9–10	La consonante *r*			
	Comprensión auditiva	11–13	Identificar la idea principal	Preguntas 11–13 DOK 2	Lección 50	LI.1.2
		14–15	Buscar detalles importantes	Preguntas 14–15 DOK 2	Lección 50	
	Escritura	Instrucciones	Texto informativo	Escritura DOK 3	Lección 59	E.1.2
UNIDAD 2 SEMANA 2	Palabras de uso frecuente	1–5	Palabras de uso frecuente	Preguntas 1–5 DOK 1	Lecciones 30–31	LF.1.3.g
	Fonética	6–8	Palabras con *ga, go, gu*	Preguntas 6–10 DOK 2	Lecciones 17–18	Preguntas 6–8 LF.1.3
		9–10	El dígrafo *ch*			Preguntas 9–10 LF.1.3.a
	Comprensión auditiva	11–13	Usar la estructura del texto	Preguntas 11, 13 DOK 2; Pregunta 12 DOK 1	Lección 49	Pregunta 11 LI.1.5 Preguntas 12–13 LI.1.3
		14–15	Hacer inferencias	Preguntas 14–15 DOK 2	Lección 49	Preguntas 14–15 LI.1.1
	Escritura	Instrucciones	Texto informativo	Escritura DOK 3	Lección 59	E.1.2
UNIDAD 2 SEMANA 3	Palabras de uso frecuente	1–5	Usar la estructura del texto	Preguntas 1–5 DOK 1	Lecciones 30–31	LF.1.3.g
	Fonética	6–8	Palabras con *que, qui*	Preguntas 6–10 DOK 2	Lección 15	LF.1.3
		9–10	Palabras con *ñ*		Lección 19	LF.1.2
	Comprensión auditiva	11–15	Propósito del autor	Preguntas 11–13 DOK 2; Pregunta 14 DOK 2; Pregunta 15 DOK 3	Lección 53	LL.1.1
	Escritura	Instrucciones	Texto informativo	Escritura DOK 3	Lección 59	E.1.2
UNIDAD 2 SEMANA 4	Palabras de uso frecuente	1–5	Palabras de uso frecuente	Preguntas 1–5 DOK 1	Lecciones 30–31	LF.1.3.g
	Fonética	6–8	Palabras con *gue, gui*	Preguntas 6–10 DOK 2	Lección 18	LF.1.3
		9–10	El dígrafo *rr*		Lección 21	LF.1.3.a
	Comprensión auditiva	11–15	Describir los elementos de la poesía	Preguntas 11–15 DOK 2	Lección 40	LL.1.4
	Escritura	Instrucciones	Texto informativo	Escritura DOK 2	Lección 59	E.1.2
UNIDAD 2 SEMANA 5	Palabras de uso frecuente	1–5	Palabras de uso frecuente	Preguntas 1–5 DOK 1	Lecciones 30–31	LF.1.3.g
	Fonética	6–7	Palabras con *j*	Preguntas 6–10 DOK 2	Lección 20	LF.1.2
		8–10	La consonante *v*			
	Comprensión auditiva	11–13	Identificar los elementos de una obra de teatro	Preguntas 11, 13 DOK 1; Pregunta 12 DOK 2	Lección 45	LL.1.3
		14–15	Hacer inferencias	Pregunta 14 DOK 2; Pregunta 15 DOK 3	Lección 45	LL.1.3.1
	Escritura	Instrucciones	Texto informativo	Escritura DOK 3	Lección 59	E.1.2

VERIFICACIÓN DEL PROGRESO: GRADO 1, UNIDAD 3

GRADE 1, UNIT 3 PROGRESS CHECK-UP

VERIFICACIÓN DEL PROGRESO PROGRESS CHECK-UP	**SECCIÓN** SECTION	**PREGUNTAS** ITEMS	**ENFOQUE DE LAS PREGUNTAS / DESTREZA** ITEM FOCUS/ SKILL	**NIVEL *DOK*** DOK LEVEL	**OPORTUNIDADES DE REFUERZO DE *miENFOQUE*** *myFOCUS* REMEDIATION OPPORTUNITIES	**CCSS**
UNIDAD 3 SEMANA 1	Palabras de uso frecuente	1–5	Palabras de uso frecuente	Preguntas 1–5 DOK 1	Lecciones 30–31	LF.1.3.g
	Fonética	6–7	La consonante *z*	Preguntas 6–7 DOK 2	Lección 16	LF.1.2
		8–10	La consonante *r* entre vocales	Preguntas 8–10 DOK 2	Lección 21	
	Comprensión de lectura	11–15	Describir el argumento	Preguntas 11–13 DOK 1; Preguntas 14–15 DOK 2	Lección 38	LL.1.3
	Escritura	Instrucciones	Poesía	Escritura DOK 3	Lección 58	E.1.2
UNIDAD 3 SEMANA 2	Palabras de uso frecuente	1–5	Palabras de uso frecuente	Preguntas 1–5 DOK 1	Lecciones 30–31	LF.1.3.g
	Fonética	6–7	La consonante *y*	Preguntas 6–7 DOK 2	Lección 20	LF.1.2
		8–10	La consonante *h*	Preguntas 8–10 DOK 2	Lección 24	
	Comprensión de lectura	11, 13–15	Comentar el propósito del autor	Preguntas 11, 13–15 DOK 2	Lección 38	Preguntas 11, 13–15 LL.1.1
		12	Describir el argumento	Preguntas 12 DOK 2	Lección 38	Pregunta 12 LL.1.3
	Escritura	Instrucciones	Poesía	Escritura DOK 3	Lección 58	E.1.3
UNIDAD 3 SEMANA 3	Palabras de uso frecuente	1–5	Palabras de uso frecuente	Preguntas 1–5 DOK 1	Lecciones 30–31	LF.1.3.g
	Fonética	6–8	El dígrafo *ll*	Preguntas 6–8 DOK 2	Lección 17	LF.1.3.a
		9–10	Palabras con *ce, ci*	Preguntas 9–10 DOK 2	Lección 19	LF.1.2.2
	Comprensión de lectura	11–15	Identificar los elementos de la poesía	Preguntas 11–14 DOK 2 ; Pregunta 15 DOK 3	Lección 40	LL.1.4
	Escritura	Instrucciones	Poesía	Escritura DOK 3	Lección 58	E.1.3
UNIDAD 3 SEMANA 4	Palabras de uso frecuente	1–5	Palabras de uso frecuente	Preguntas 1–5 DOK 1	Lecciones 30–31	LF.1.3.g
	Fonética	6–8	La combinación de consonantes *br*	Preguntas 6–7 DOK 2	Lección 23	LF.1.3
		9–10	Plurales con *-s, -es, -ces*	Preguntas 8–10 DOK 2	Lección 27	LF.1.3.f
	Comprensión de lectura	11–15	Describir los sucesos principales y el ambiente	Preguntas 11–13 DOK 1; Preguntas 14–15 DOK 2	Lección 38	LL.1.3
	Escritura	Instrucciones	Poesía	Escritura DOK 3	Lección 58	E.1.3
UNIDAD 3 SEMANA 5	Palabras de uso frecuente	1–5	Palabras de uso frecuente	Preguntas 1–5 DOK 1	Lecciones 30–31	LF.1.3.g
	Fonética	6–10	Las consonantes *x, k, w*	Preguntas 6–10 DOK 2	Lección 16 Lección 20	Preguntas 6–7, 9–10 LF.1.2
						Pregunta 8 LF.1.2
	Comprensión de lectura	11–15	Identificar textos persuasivos	Preguntas 11, 13–15 DOK2: Pregunta 12 DOK 1	Lección 49	LI.1.8
	Escritura	Instrucciones	Poesía	Escritura DOK 3	Lección 58	E.1.3

VERIFICACIÓN DEL PROGRESO: GRADO 1, UNIDAD 4

GRADE 1, UNIT 4 PROGRESS CHECK-UP

VERIFICACIÓN DEL PROGRESO PROGRESS CHECK-UP	**SECCIÓN** SECTION	**PREGUNTAS** ITEMS	**ENFOQUE DE LAS PREGUNTAS / DESTREZA** ITEM FOCUS/ SKILL	**NIVEL *DOK*** DOK LEVEL	**OPORTUNIDADES DE REFUERZO DE *miENFOQUE*** *myFOCUS* REMEDIATION OPPORTUNITIES	**CCSS**
UNIDAD 4 SEMANA 1	Palabras de uso frecuente	1–5	Palabras de uso frecuente	Preguntas 1–5 DOK 1	Lecciones 30–31	LF.1.3.g
	Fonética	6–10	Las combinaciones de consonantes *dr, gr*	Preguntas 6–10 DOK 2	Lección 23	LF.1.3.h
	Comprensión de lectura	11–12, 15	Identificar la idea principal	Preguntas 11–14 DOK 1 Pregunta 15 DOK 1	Lección 50;	LI.1.2
		13–14	Detalles de apoyo			
	Escritura	Instrucciones	Narrativa	Escritura DOK 3	Lección 58	E.1.3
UNIDAD 4 SEMANA 2	Palabras de uso frecuente	1–5	Palabras de uso frecuente	Preguntas 1–5 DOK 1	Lecciones 30–31	LF.1.3.g
	Fonética	6–10	Las combinaciones de consonantes *tr, fr*	Preguntas 6–10 DOK 2	Lección 23	LF.1.3.h
	Comprensión de lectura	11–15	Usar la estructura del texto (cronológica)	Preguntas 11–14 DOK 2; Pregunta 15 DOK 3	Lección 49	LI.1.3
	Escritura	Instrucciones	Narrativa	Escritura DOK 3	Lección 58	E.1.3
UNIDAD 4 SEMANA 3	Palabras de uso frecuente	1–5	Palabras de uso frecuente	Preguntas 1–5 DOK 1	Lecciones 30–31	LF.1.3.g
	Fonética	6–10	Las combinaciones de consonantes *bl, pl*	Preguntas 6–10 DOK 2	Lección 22	LF.1.3.h
	Comprensión de lectura	11; 14–15	Determinar el tema	Preguntas 11, 14 DOK 2; Pregunta 15 DOK 3	Lección 39	LI.1.3
		12–13	Usar evidencia del texto	Pregunta 12 DOK 2 Pregunta 13 DOK 1		
	Escritura	Instrucciones	Narrativa	Escritura DOK 3	Lección 58	E.1.3
UNIDAD 4 SEMANA 4	Palabras de uso frecuente	1–5	Palabras de uso frecuente	Preguntas 1–5 DOK 1	Lecciones 30–31	LF.1.3.g
	Fonética	6–8	Los diptongos *iu, io, ie, ia*	Preguntas 6–8 DOK 2	Lección 26	LF.1.3.g
		9–10	El sufijo *-mente*	Preguntas 9–10 DOK 2	Lección 29	LF.1.3.4
	Comprensión de lectura	11–15	Comparar y contrastar textos	Preguntas 11–14 DOK 2; Pregunta 15 DOK 3	Lección 54	LI.1.9
	Escritura	Instrucciones	Narrativa	Escritura DOK 3	Lección 58	E.1.3
UNIDAD 4 SEMANA 5	Palabras de uso frecuente	1–5	Palabras de uso frecuente	Preguntas 1–5 DOK 1	Lecciones 30-31	LF.1.3.g
	Fonética	6–7	Las palabras compuestas	Preguntas 6–7 DOK 2	Lección 29	L.1.1.k
		8–10	Los sufijos *-oso, -osa*	Preguntas 8–10 DOK 2	Lección 28	LF.1.3
	Comprensión de lectura	11–15	Identificar la idea principal	Preguntas 11–14 DOK 2; Pregunta 15 DOK 3	Lección 50	LI.1.3
	Escritura	Instrucciones	Narrativa	Escritura DOK 2	Lección 58	E.1.3

VERIFICACIÓN DEL PROGRESO: GRADO 1, UNIDAD 5

GRADE 1, UNIT 5 PROGRESS CHECK-UP

VERIFICACIÓN DEL PROGRESO PROGRESS CHECK-UP	**SECCIÓN** SECTION	**PREGUNTAS** ITEMS	**ENFOQUE DE LAS PREGUNTAS / DESTREZA** ITEM FOCUS/ SKILL	**NIVEL *DOK*** DOK LEVEL	**OPORTUNIDADES DE REFUERZO DE *miENFOQUE*** *myFOCUS* REMEDIATION OPPORTUNITIES	**CCSS**
UNIDAD 5 SEMANA 1	Palabras de uso frecuente	1–5	Palabras de uso frecuente	Preguntas 1–5 DOK 1	Lecciones 30–31	LF.1.3.g
	Fonética	6–7	La combinación de consonantes *gl*	Preguntas 6–7 DOK 2	Lección 22	LF.1.3.h
		8–10	Los sufijos *-ando, -iendo*	Preguntas 8–10 DOK 2	Lección 29	LF.1.3
	Comprensión de lectura	11–15	Identificar la estructura del texto	Preguntas 11–14 DOK 2; Pregunta 15 DOK 3	Lección 49	LI.1.2
	Escritura	Instrucciones	Libro sobre cómo hacer algo	Escritura DOK 3	Lección 59	E.1.2
UNIDAD 5 SEMANA 2	Palabras de uso frecuente	1–5	Palabras de uso frecuente	Preguntas 1–5 DOK 1	Lecciones 30–31	LF.1.3.g
	Fonética	6–7	La combinación de consonantes *fl*	Preguntas 6–7 DOK 2	Lección 22	LF.1.3.h
		8–10	Los sufijos *-ado, -ada, -ido, -ida*	Preguntas 8–10 DOK 2	Lección 29	LF.1.3
	Comprensión de lectura	11–15	Usar gráficos	Preguntas 11–15 DOK 2	Lección 49	LI.1.5
	Escritura	Instrucciones	Libro sobre cómo hacer algo	Escritura DOK 3	Lección 59	E.1.2
UNIDAD 5 SEMANA 3	Palabras de uso frecuente	1–5	Palabras de uso frecuente	Preguntas 1–5 DOK 1	Lecciones 30–31	LF.1.3.g
	Fonética	6–7	La combinación de consonantes *cl*	Preguntas 6–7 DOK 2	Lección 22	LF.1.3.h
		8–10	La sílaba tónica y la acentuación	Preguntas 8–10 DOK 2	Lección 25	LF.1.3.j
	Comprensión de lectura	11–15	Identificar textos persuasivos	Preguntas 11–14 DOK 2; Pregunta 15 DOK 3	Lección 49	LI.1.8
	Escritura	Instrucciones	Libro sobre cómo hacer algo	Escritura DOK 3	Lección 59	E.1.3
UNIDAD 5 SEMANA 4	Palabras de uso frecuente	1–5	Palabras de uso frecuente	Preguntas 1–5 DOK 1	Lecciones 30–31	LF.1.3.g
	Fonética	6–8	Los hiatos *ae, ao, ee, eo, oa, oe, oo*	Preguntas 6–8 DOK 2	Lección 26	LF.1.3.1
		9–10	Los diptongos *ua, ue, ui, eu, au*	Preguntas 9–10 DOK 2		LF.1.3.c
	Comprensión de lectura	11–15	Determinar el tema	Preguntas 11–14 DOK 2; Pregunta 15 DOK 3	Lección 39 Lección 45	LL.1.2
	Escritura	Instrucciones	Libro sobre cómo hacer algo	Escritura DOK 3	Lección 59	E.1.2
UNIDAD 5 SEMANA 5	Palabras de uso frecuente	1–5	Palabras de uso frecuente	Preguntas 1–5 DOK 1	Lecciones 30–31	LF.1.3.g
	Fonética	6–8	Diptongos *ai, ay, oi, oy, ei, ey*	Preguntas 6–8 DOK 2	Lección 26	LF.1.3.c
		9–10	Raíces de las palabras	Preguntas 9–10 DOK 2	Lección 28	LF.1.3
	Comprensión de lectura	11–15	Usar las ilustraciones y los textos	Preguntas 11–14 DOK 2; Pregunta 15 DOK 3	Lección 52	Preguntas 11–12 LI.1.6 Preguntas 13–15 LI.1.7
	Escritura	Instrucciones	Libro sobre cómo hacer algo	Escritura DOK 3	Lección 59	E.1.2

GUÍA PARA CALIFICAR LA ESCRITURA WRITING RUBRIC

Use the following rubric to evaluate responses on the *Escritura* section. Suggested top-score responses for each prompt follow the rubric.

Calificación Score	**Enfoque** Focus	**Organización** Organization	**Desarrollo** Development	**Lenguaje y vocabulario** Language and Vocabulary	**Normas** Conventions
4	Text is clearly focused on a topic or idea and is developed throughout.	Text is organized with clear ideas presented in a logical order.	Text effectively uses details, descriptions, and/or facts.	Text uses precise language and/or domain-specific vocabulary correctly.	Text has correct grammar, usage, spelling, capitalization, and punctuation.
3	Text is mostly focused on a topic or idea and developed throughout.	Text is mostly organized, but some ideas or events may be out of order. Connections between ideas/ events may be lacking.	Text adequately uses details, descriptions, and/or facts.	Text uses precise language and/or domain-specific vocabulary adequately and mostly correctly.	Text has a few conventions errors but is understandable.
2	Text may occasionally lose focus or lack development.	Text is difficult to follow. Organization and connections between ideas/ events are weak.	Text includes few details, descriptions, and/or facts.	Text may use imprecise language/ vocabulary. Words are sometimes used incorrectly.	Text has some conventions errors that may affect clarity.
1	Text is unfocused, confusing, or too short.	Text has little or no structure or organization.	Text includes very few or no details, descriptions, and/or facts.	Text uses vague, unclear, or confusing language.	Text is difficult to understand because of many conventions errors.
0	The text gets no credit if it does not demonstrate adequate command of the traits of the mode of writing.				

LAS MEJORES RESPUESTAS EN ESCRITURA
TOP-LEVEL RESPONSES FOR WRITING

UNIDAD 1 UNIT 1

Escritura de la Unidad 1, Semana 1 Unit 1, Week 1 Writing

Short-Response Item 15: Students should draw a picture and write about two girls—one happy and one nervous. The picture or writing should show bees as well.

Writing The narrative text should:

- include a picture of the writer with a friend
- include a sentence that tells what the writer and friend like to do together
- follow the structure of a narrative

Escritura de la Unidad 1, Semana 2 Unit 1, Week 2 Writing

Short-Response Item 15: *Preparan una cena especial cada viernes.*

Writing The narrative text should:

- include a picture of a food the writer likes to eat
- include a sentence about the food
- follow the structure of a narrative

Escritura de la Unidad 1, Semana 3 Unit 1, Week 3 Writing

Short-Response Item 15: Students should draw a picture showing a student wearing bright clothing, and write words or a sentence to describe it.

Writing The narrative text should:

- include a picture about a place the writer would like to walk or ride a bike
- include a sentence about the place
- follow the structure of a narrative

Escritura de la Unidad 1, Semana 4 Unit 1, Week 4 Writing

Short-Response Item 15: *El Sr. Ruiz bailó tap.*

Writing The narrative text should:

- include a picture of a talent the writer would show to people
- include a sentence about the talent
- follow the structure of a narrative

Escritura de la Unidad 1, Semana 5 Unit 1, Week 5 Writing

Short-Response Item 15: *El jardinero debe usar un casco de seguridad, guantes y gafas protectoras.*

Writing The narrative text should:

- include a picture of a healthy tree
- include a sentence about what the tree looks like
- follow the structure of a narrative

UNIDAD 2 UNIT 2

Escritura de la Unidad 2, Semana 1 Unit 2, Week 1 Writing

Short-Response Item 15: Student responses should include a picture of a baby lamb and an adult sheep, showing differences between the two.

Writing The informational text should:

- include a picture about what the writer knows that grows and changes
- include a sentence about the picture
- follow the structure of informational text

Escritura de la Unidad 2, Semana 2 Unit 2, Week 2 Writing

Short-Response Item 15: *A los insectos les gusta el polen.*

Writing The informational text should:

- include a picture, with labels, about how a flower becomes a fruit
- include facts and details
- follow the structure of informational text

Escritura de la Unidad 2, Semana 3 Unit 2, Week 13 Writing

Short-Response Item 15: *¿Qué tipo de comida comen las focas arpa? ¿A qué edad empiezan a nadar las focas arpa bebé?*

Writing The informational text should:

- include a picture of an animal
- include facts and details about how this animal grows and changes
- follow the structure of informational text

Escritura de la Unidad 2, Semana 4 Unit 2, Week 4 Writing

Short-Response Item 15: *Las líneas de la selección riman.*

Writing The informational text should:

- include a picture of an animal
- include a fact about the animal and a rhyming word
- follow the structure of informational text

Escritura de la Unidad 2, Semana 5 Unit 2, Week 5 Writing

Short-Response Item 15: *Luz se siente sorprendida cuando se le cae el diente.*

Writing The informational text should:

- include a picture about a way people grow and change
- include facts and details
- follow the structure of informational text

UNIDAD 3 UNIT 3

Escritura de la Unidad 3, Semana 1 Unit 3, Week 1 Writing

Short-Response Item 15: *El pájaro ayuda al ratón. Le da comida.*

Writing The poem should:

- include a list of three words describing the season
- include rhyming words
- follow the structure of a poem

Escritura de la Unidad 3, Semana 2 Unit 3, Week 2 Writing

Short-Response Item 15: *El propósito del autor es entretener. Lo sé porque los personajes son animales que actúan como personas. El conejo engaña a las serpientes.*

Writing The poem should:

- include a list of three sense words that tell about a fun thing to do
- include one of the sense words in a poem
- follow the structure of a poem

Escritura de la Unidad 3, Semana 3 Unit 3, Week 3 Writing

Short-Response Item 15: *El autor quiere mostrar que las bolas de nieve se elevarán mucho. Repetir* muy alto *hace la línea más larga. Ayuda a ver la acción.*

Writing The poem should:

- include a four-line poem
- include a list of three sound words about a fun activity
- follow the structure of a poem

Escritura de la Unidad 3, Semana 4 Unit 3, Week 4 Writing

Short-Response Item 15: *El cuento sucede al aire libre. El ambiente del cuento es un estanque.*

Writing The poem should:

- include a four-line poem about a person or animal
- include two rhyming words
- follow the structure of a poem

Escritura de la Unidad 3, Semana 5 Unit 3, Week 5 Writing

Short-Response Item 15: *El autor quiere que las personas piensen que los clubes de arte son útiles. Quiere que los estudiantes hagan uno en la escuela.*

Writing The poem should:

- include something that makes the writer think better
- include a four-line poem
- follow the structure of a poem

UNIDAD 4 UNIT 4

Escritura de la Unidad 4, Semana 1 Unit 4, Week 1 Writing

Short-Response Item 15: Students can describe Maya Angelou as a writer, poet, actor, and/or as reading for President Clinton.

Writing The narrative text should:

- include something that happened to the writer that was special
- include sentences describing what happened that was special
- follow the structure of a narrative

Escritura de la Unidad 4, Semana 2 Unit 4, Week 2 Writing

Short-Response Item 15: Students could describe opening a school, visiting the sick, or teaching.

Writing The narrative text should:

- include sentences about a place the writer visited that was very different
- include sentences about the setting
- follow the structure of a narrative

Escritura de la Unidad 4, Semana 3 Unit 4, Week 3 Writing

Short-Response Item 15: Students can explain that Clara and her mother throw the rope to her dad.

Writing The narrative text should:

- include sentences about something the writer made on his or her own
- include words such as *first, next,* and *then*
- follow the structure of a narrative

Escritura de la Unidad 4, Semana 4 Unit 4, Week 4 Writing

Short-Response Item 15: *Las historias se parecen porque las dos son sobre aviones y pilotos. Las historias se diferencias porque una es sobre una mujer piloto y otra es sobre dos hermanos,*

Writing The narrative text should:

- include a paragraph about a time the writer did something hard
- include description words
- follow the structure of a narrative

Escritura de la Unidad 4, Semana 5 Unit 4, Week 5 Writing

Short-Response Item 15: Students can explain that Chávez marched with the workers and led their protest.

Writing The narrative text should:

- include a paragraph about someone the writer admires
- include descriptive words that tell why the writer admires this person
- follow the structure of a narrative

UNIDAD 5 UNIT 5

Escritura de la Unidad 5, Semana 1 Unit 5, Week 1 Writing

Short-Response Item 15: *1) Rastrillar las hojas; 2) Revisar que no haya palos o piedras; 3) ¡Saltar!*

Writing The how-to text should:

- include a description of what the writer likes to do
- include the steps the writer takes to do the activity
- follow the structure of a how-to book

Escritura de la Unidad 5, Semana 2 Unit 5, Week 2 Writing

Short-Response Item 15: Students might show farmers or fishermen working, or students playing

Writing The how-to text should:

- include the writer's favorite season
- include simple "how-to" instructions about a game that the writer likes to play during his or her favorite season
- follow the structure of a how-to book

Escritura de la Unidad 5, Semana 3 Unit 5, Week 3 Writing

Short-Response Item 15: *El clima por lo general es soleado y cálido. Las personas pueden usar ropa de verano.*

Writing The how-to text should:

- tell about an activity the writer likes to do in summer
- include steps the writer takes to do the activity
- follow the structure of a how-to book

Escritura de la Unidad 5, Semana 4 Unit 5, Week 4 Writing

Short-Response Item 15: Students can show spring flowers appearing, leaves on trees, or birds.

Writing The how-to text should:

- describe an activity the writer likes to do in spring
- include steps the writer takes to do the activity
- follow the structure of a how-to book

Escritura de la Unidad 5, Semana 5 Unit 5, Week 5 Writing

Short-Response Item 15: Students can show birds fluffing feathers in a group or alone, a bird eating, or birds in the sunshine.

Writing The how-to text should:

- include instructions for how a person can stay warm during the winter
- follow the structure of a how-to book

Texto para el maestro Teacher Scripting

Texto para el maestro: Verificación del progreso, Unidad 1, Semana 1 Teacher Scripting: Unit 1 Week 1 Progress Check-Up

PALABRAS DE USO FRECUENTE HIGH-FREQUENCY WORDS

Turn to page 1. Use the following directions to administer the test. Directions in **bold** are to be read aloud; others are for your information only.

Pasen a la página 1. Voy a leer el número y la oración en voz alta. Luego, voy a leer tres palabras. Escojan la palabra que mejor complete la oración. Rellenen el círculo que está junto a su respuesta. Voy a leer la oración dos veces.

1. **Busquen la fila que tiene el número 1. Yo *¿...qué?* tres años mayor que mi hermanito. *¿soy... somos... eres?* Yo *¿...qué?* tres años mayor que mi hermanito.**
2. **Busquen la fila que tiene el número 2. Hoy *¿...qué?* más estrellas en el cielo que ayer. *¿soy... voy... veo?* Hoy *¿...qué?* más estrellas en el cielo que ayer.**
3. **Busquen la fila que tiene el número 3. Hay *¿...qué?* rana en el jardín. *¿una... un... dos?* Hay *¿...qué?* rana en el jardín.**
4. **Busquen la fila que tiene el número 4. La pelota cayó *¿...qué?* el patio del vecino. *¿al... del... en?* La pelota cayó *¿...qué?* el patio del vecino.**
5. **Busquen la fila que tiene el número 5. La niña irá directo a *¿...qué?* casa. *¿su... el... fue?* La niña irá directo a *¿...qué?* casa.**

FONÉTICA PHONICS

Turn to page 2. Use the following directions to administer the test.

Pasen a la página 2. Voy a leer cada oración en voz alta. Luego, voy a leer tres opciones de respuesta. Rellenen el círculo que está junto a su respuesta.

6. **Yo voy a mi <u>casa</u>. ¿Qué palabra tiene el sonido de una sílaba con la vocal abierta <u>a</u> como en <u>casa</u>? *¿pala... perro... mucho?* Rellenen el círculo que está junto a la palabra que tiene el sonido de una sílaba con la vocal abierta <u>a</u> como en <u>casa</u>.**
7. **El <u>mono</u> trepa el árbol. ¿Qué palabra tiene el sonido de una sílaba con la vocal abierta <u>o</u> como en <u>mono</u>? *¿mar... misa... lobo?* Rellenen el círculo que está junto a la palabra que tiene el sonido de una sílaba con la vocal abierta <u>o</u> como en <u>mono</u>.**
8. **La <u>uva</u> es morada. ¿Qué palabra comienza con una sílaba cerrada con <u>u</u> como en <u>uva</u>? *¿uña... niña... tanto?* Rellenen el círculo que está junto a la palabra que comienza con una sílaba cerrada con <u>u</u> como en <u>uva</u>.**
9. **Mi <u>mamá</u> se llama Tina. ¿Qué palabra tiene una sílaba con <u>m</u> como <u>mamá</u>? *¿vino... mapa... esto?* Rellenen el círculo que está junto a la palabra que tiene una sílaba con <u>m</u> como <u>mamá</u>.**
10. **La <u>pera</u> es dulce. ¿Qué palabra tiene una sílaba con <u>p</u> como <u>pera</u>? *¿yoyo... pena... tiene?* Rellenen el círculo que está junto a la palabra que tiene una sílaba con <u>p</u> como <u>pera</u>.**

COMPRENSIÓN AUDITIVA LISTENING COMPREHENSION

Turn to page 3. Use the following directions to administer the test.

Pasen a la página 3. Ahora voy a leer una selección. Luego, les haré algunas preguntas. Escuchen con atención. Esta es la selección.

[Note: If you feel that some students are ready to read the selection and questions on their own, you may have them take this part of the test independently.]

Abejas en la ciudad

Mi amiga María vive en la ciudad. Ella tiene abejas en su patio trasero y me preguntó si me gustaría ayudarla a obtener la miel de las abejas. ¡Yo estaba tan feliz!

María me dio un enorme sombrero, guantes y un traje que cubría todo mi cuerpo.

—¿Tratarán de picarme las abejas? —le pregunté.

—Si una abeja zumba a tu alrededor, quédate quieta. Te dejará en paz —dijo María.

El padre de María tomó un poco de miel de una colmena.

Yo metí mi dedo. Estaba pegajoso. ¡Entonces una abeja se paró en mi mano!

—Quédate quieta. Las abejas también comen miel —dijo María—. ¡Vaya! ¡La estoy alimentando! —dije. Observé la abeja. ¡Me sentí tan afortunada!

Más tarde, María me dio un pequeño frasco de miel. Lo puse en mi estante especial. Cuando lo miro, ¡pienso en mi día con las abejas!

Ahora les haré algunas preguntas sobre la selección. Hay tres opciones de respuesta para cada pregunta. Rellenen el círculo debajo de su respuesta. Escuchen con atención.

11. **¿Cómo se siente la narradora cuando llega a la casa de María? *triste... feliz... asustada*. Rellenen el círculo que está debajo de la respuesta que muestra cómo se siente la narradora.**
12. **¿Quién le da a la narradora el sombrero, los guantes y el traje? *el papá de María... la mamá de María... María.* Rellenen el círculo que está debajo de la respuesta que muestra quién le da a la narradora el sombrero, los guantes y el traje.**
13. **¿Cómo se siente la narradora en los párrafos 6, 7 y 8 cuando la abeja se para en su mano? *emocionada... soñolienta... aburrida*. Rellenen el círculo que está debajo de la respuesta que muestra cómo se siente la narradora cuando la abeja se para en su mano.**
14. **La narradora pone el regalo de María en un estante para recordar *¿...qué? su día con las abejas... a sus amigos... a la ciudad*. Rellenen el círculo que está debajo de la respuesta que muestra por qué la narradora pone el regalo de María en un estante.**
15. **¿Qué siente María por su amiga por haberla invitado a ver las abejas? Haz un dibujo y escribe una oración en una hoja aparte.**

ESCRITURA WRITING

Read the prompt aloud to the students.

En una hoja aparte, dibújense con un amigo. Escriban una oración que diga qué les gusta hacer juntos.

Texto para el maestro: Verificación del progreso Unidad 1, Semana 2

Teacher Scripting: Unit 1 Week 2 Progress Check-Up

PALABRAS DE USO FRECUENTE HIGH-FREQUENCY WORDS

Turn to page 6. Use the following directions to administer the test. Directions in **bold** are to be read aloud; others are for your information only.

Pasen a la página 6. Voy a leer el número y la oración en voz alta. Luego, voy a leer tres palabras. Escojan la palabra que mejor complete la oración. Rellenen el círculo que está junto a su respuesta. Voy a leer la oración dos veces.

1. **Busquen la fila que tiene el número 1. Comeremos *¿...qué?* postre después de cenar. *¿un... una... la?* Comeremos *¿...qué?* postre después de cenar.**
2. **Busquen la fila que tiene el número 2. El perro *¿...qué?* su mascota. *¿un... soy... es?* El perro *¿...qué?* su mascota.**
3. **Busquen la fila que tiene el número 3. La niña *¿...qué?* con sus muñecas. *¿juega... come... trepa?* La niña *¿...qué?* con sus muñecas.**
4. **Busquen la fila que tiene el número 4. ¿Puedo ir al parque *¿...qué?* mis amigos? *¿de... con... en?* ¿Puedo ir al parque *¿...qué?* mis amigos?**
5. **Busquen la fila que tiene el número 5. El niño y la *¿...qué?* son hermanos. *¿prima... niña... perro?* El niño y la *¿...qué?* son hermanos.**

FONÉTICA PHONICS

Turn to page 7. Use the following directions to administer the test.

Pasen a la página 7. Voy a leer cada oración en voz alta. Luego, voy a leer tres opciones de respuesta. Rellenen el círculo que está junto a su respuesta.

6. **Mi tía Anel compró una lata de miel. ¿Qué palabra tiene una sílaba que comienza con el sonido de *l*? *¿lata... Anel... miel?* Rellenen el círculo que está junto a la palabra que tiene una sílaba que comienza con el sonido de *l*.**
7. **Me gustan la lima y el limón, pero no me gusta la col. ¿Qué palabra tiene una sílaba que termina con el sonido de *l*? *¿lima... limón... col?* Rellenen el círculo que está junto a la palabra que tiene una sílaba que termina con el sonido de *l*.**
8. **El color favorito de Lily es el violeta. ¿Qué palabra tiene la consonante *l* inicial? *¿Lily... color... violeta?* Rellenen el círculo que está junto a la palabra que tiene la consonante *l* inicial.**
9. **El Sr. Camil se lima las uñas. ¿Qué palabra comienza con la misma sílaba que lima? *¿libre... lente... lupa?* Rellenen el círculo que está junto a la palabra que comienza con la misma sílaba que lima.**
10. **El color favorito de Carla es el azul. ¿Qué palabra tiene la consonante *l* final? *¿azul... Carla... color?* Rellenen el círculo que está junto a la palabra que tiene la consonante *l* final.**

COMPRENSIÓN AUDITIVA LISTENING COMPREHENSION

Pasen a la página 8. Ahora voy a leer una selección. Luego, les haré algunas preguntas. Escuchen con atención. Esta es la selección.

[Note: If you feel that some students are ready to read the selection and questions on their own, you may have them take this part of the test independently.]

La pizza de los viernes

Aldo y su abuelo preparan juntos una cena especial cada viernes. Esta noche, quieren hacer pizza de brócoli.

Aldo ayuda a su abuelo a hacer una lista. Necesitan queso, brócoli y salsa de tomate.

Ellos caminan a la tienda para comprar la comida. La tienda es muy grande y tiene muchos estantes altos.

Ven las frutas y las verduras y encuentran el brócoli. Luego, toman el queso y buscan la salsa de tomate.

—Ya tenemos todo lo de la lista —dice Aldo.

El abuelo de Aldo paga la comida. Luego, se van a casa.

Aldo y su abuelo hacen la pizza. Entonces, es hora de comer. Aldo toma un bocado de su pizza.

—¡Mmm! ¡Me encanta la pizza de los viernes! —dice Aldo.

Ahora les haré algunas preguntas sobre la selección. Hay tres opciones de respuesta para cada pregunta. Rellenen el círculo que está debajo de su respuesta. Escuchen con atención.

11. **¿A dónde van Aldo y su abuelo a comprar la comida? *al jardín... a la tienda... a la cocina.* Rellenen el círculo que está debajo de la respuesta que muestra a dónde van Aldo y su abuelo a comprar la comida.**
12. **¿Qué ven Aldo y su abuelo cuando van a buscar la comida? *frutas y verduras... pizzas... bebidas.* Rellenen el círculo que está debajo de la respuesta que muestra qué ven Aldo y su abuelo cuando van a buscar la comida.**
13. **¿Cómo se siente Aldo al final del cuento? *enojado... feliz... desilusionado*. Rellenen el círculo que está debajo de la respuesta que muestra cómo se siente Aldo al final del cuento.**
14. **¿Dónde están Aldo y su abuelo cuando comen la pizza? *en la tienda... en un restaurante... en su casa*. Rellenen el círculo que está debajo de la respuesta que muestra dónde están Aldo y su abuelo cuando comen la pizza.**
15. **¿Cuándo preparan cenas especiales Aldo y su abuelo? Escribe tu respuesta en una hoja aparte.**

ESCRITURA WRITING

Read the prompt aloud to students.

En una hoja aparte, dibujen una comida que les guste comer. Escriban una oración sobre esta comida.

Texto para el maestro: Verificación del progreso Unidad 1, Semana 3
Teacher Scripting: Unit 1 Week 3 Progress Check-Up

PALABRAS DE USO FRECUENTE HIGH-FREQUENCY WORDS

Turn to page 11. Use the following directions to administer the test. Directions in **bold** are to be read aloud; others are for your information only.

Pasen a la página 11. Voy a leer el número y la oración en voz alta. Luego, voy a leer tres palabras. Escojan la palabra que mejor complete la oración. Rellenen el círculo que está junto a su respuesta. Voy a leer la oración dos veces.

1. **Busquen la fila que tiene el número 1. ¡Luisa, ven, *¿...qué?* qué rápido va el tren! *¿mira... son... el?* ¡Luisa, ven, *¿...qué?* qué rápido va el tren!**
2. **Busquen la fila que tiene el número 2. Mi hermano *¿...qué?* jugando con su amigo. *¿estoy... está... es?* Mi hermano *¿...qué?* jugando con su amigo.**
3. **Busquen la fila que tiene el número 3. Mi papá y yo *¿...qué?* a ir al cine. *¿vamos... vemos... voy?* Mi papá y yo *¿...qué?* a ir al cine.**
4. **Busquen la fila que tiene el número 4. Mi casa está *¿...qué?* de la escuela. *¿por... debajo... cerca?* Mi casa está *¿...qué?* de la escuela.**
5. **Busquen la fila que tiene el número 5. Esa sombrilla es *¿...qué?* mi mamá. *¿por... de... con?* Esa sombrilla es *¿...qué?* mi mamá.**

FONÉTICA PHONICS

Turn to page 12. Use the following directions to administer the test.

Pasen a la página 12. Voy a leer cada oración en voz alta. Luego, voy a leer tres opciones de respuesta. Rellenen el círculo que está junto a su respuesta.

6. **Pedro está sentado en la silla. ¿Qué palabra tiene el mismo sonido inicial de s que silla? *¿sopa... cuatro... queso?* Rellenen el círculo que está junto a la palabra que tiene el mismo sonido inicial de s que silla.**
7. **Yo tengo dos manos. ¿Qué palabra tiene el mismo sonido final de s que dos? *¿uso... tos... solo?* Rellenen el círculo que está junto a la palabra que tiene el mismo sonido final de s que dos.**
8. **Mi mes favorito es diciembre. ¿Qué palabra tiene la misma consonante s final que mes? *¿las... suyo... caso?* Rellenen el círculo que está junto a la palabra que tiene la misma consonante s final que mes.**
9. **La sopa es de papa. ¿Qué palabra tiene la misma consonante s inicial que sopa? *¿risa... sapo... vez?* Rellenen el círculo que está junto a la palabra que tiene la misma consonante s inicial que sopa.**
10. **El sol brilla en el cielo. ¿Qué palabra tiene el mismo sonido de s que sol? *¿suyo... coco... cuatro?* Rellenen el círculo que está junto a la palabra que tiene el mismo sonido de s que sol.**

COMPRENSIÓN AUDITIVA Listening Comprehension

Turn to page 13. Use the following directions to administer the test.

Pasen a la página 13. Ahora voy a leer una selección. Luego, les haré algunas preguntas. Escuchen con atención. Esta es la selección.

[Note: If you feel that some children are ready to read the selection and questions on their own, you may have them take this part of the test independently.]

Montar en bicicleta

Montar en bicicleta es muy divertido, pero hay reglas para mantenerte seguro cuando lo haces.

Regla 1

Usa un casco cuando montes en bicicleta. Un casco mantiene tu cabeza a salvo.

Regla 2

Usa colores brillantes cuando montes en bicicleta. Las personas en los carros podrán verte mejor.

Regla 3

Monta con un adulto. Un adulto te ayudará a mantenerte a salvo. Los adultos saben cuándo parar y seguir. Miran a ambos lados antes de cruzar la calle.

Puedes montar en bicicleta con amigos y familiares. Cuando montas con dos o más personas, pueden estar aún más seguros juntos. Si sigues las reglas, puedes divertirte y estar seguro al mismo tiempo.

Ahora les haré algunas preguntas sobre la selección. Hay tres opciones de respuesta para cada pregunta. Rellenen el círculo que está debajo de su respuesta. Escuchen con atención.

11. **Según la Regla 1, ¿qué debes usar? *gafas... casco... rodilleras.* Rellenen el círculo que está debajo de la respuesta que muestra qué deben usar según la Regla 1.**
12. **La Regla 2 te ayuda con: *otras bicicletas... los árboles... los carros*. Rellenen el círculo que está debajo de la respuesta que muestra con qué les ayuda la Regla 2.**
13. **Según la Regla 3, ¿con quién debes montar? *con amigos... con adultos... solo*. Rellenen el círculo que está debajo de la respuesta que muestra con quién deben montar según la Regla 3.**
14. **Las reglas te enseñan cómo puedes mantenerte *seguro... afortunado... rápido...* Rellenen el círculo que está junto a la respuesta que indica cómo se pueden mantener si siguen las reglas.**
15. **En una hoja aparte, haz un dibujo sobre cómo indica la Regla 2 que debes vestir. Escribe palabras o una oración para describir tu dibujo.**

ESCRITURA WRITING

Read the prompt aloud to the students.

En una hoja aparte, dibuja un lugar donde te gustaría caminar o montar en bicicleta. Escribe una oración que hable sobre ese lugar.

Texto para el maestro: Verificación del progreso Unidad 1, Semana 4

Teacher Scripting: Unit 1 Week 4 Progress Check-Up

PALABRAS DE USO FRECUENTE HIGH-FREQUENCY WORDS

Turn to page 16. Use the following directions to administer the test. Directions in **bold** are to be read aloud; others are for your information only.

Pasen a la página 16. Voy a leer el número y la oración en voz alta. Luego, voy a leer tres palabras. Escojan la palabra que mejor complete la oración. Rellenen el círculo que está junto a su respuesta. Voy a leer la oración dos veces.

1. **Busquen la fila que tiene el número 1. Pepe *¿...qué?* muchos juguetes. *¿tengo... somos... tiene? Pepe ¿...qué?* muchos juguetes.**
2. **Busquen la fila que tiene el número 2. Yo tengo un gato *¿...qué?* un perro. *¿a... y... el?* Yo tengo un gato *¿...qué?* un perro.**
3. **Busquen la fila que tiene el número 3. Mi maestra es muy buena. *¿...qué?* se llama Tina. *¿Él... Yo... Ella?* Mi maestra es muy buena. *¿...qué?* se llama Tina.**
4. **Busquen la fila que tiene el número 4. ¿Qué *¿...qué?* de comer? *¿para... hay... hoy?* ¿Qué *¿...qué?* de comer?**
5. **Busquen la fila que tiene el número 5. Mi *¿...qué?* está en una esquina. *¿sol... casa... cielo?* Mi *¿...qué?* está en una esquina.**

FONÉTICA PHONICS

Turn to page 17. Use the following directions to administer the test.

Pasen a la página 17. Voy a leer cada oración en voz alta. Luego, voy a leer tres opciones de respuesta. Rellenen el círculo que está junto a su respuesta.

6. **La ardilla come una nuez. ¿Qué palabra tiene una sílaba que comienza con n como en nuez? *¿otro... como... cono?* Rellenen el círculo que está junto a la palabra que tiene una sílaba que comienza con n como en nuez.**
7. **El pan está duro. ¿Qué palabra termina con la letra n como en pan? *¿ven... tuna... solo?* Rellenen el círculo que está junto a la palabra que termina con la letra n como en pan.**
8. **El ave está en su nido. ¿Qué palabra tiene una sílaba abierta con n como en nido? *¿más... Toño... nube?* Rellenen el círculo que está junto a la palabra que tiene una sílaba abierta con n como en nido.**
9. **La pintura es azul. ¿Qué palabra tiene una sílaba que termina en n como en pintura? *¿risa... normal... pantera?* Rellenen el círculo que está junto a la palabra que tiene una sílaba que termina en n como en pintura.**
10. **El camión hace mucho ruido. ¿Qué palabra termina en una sílaba cerrada con n como en camión? *¿nada... marrón... mar?* Rellenen el círculo que está junto a la palabra que termina en una sílaba cerrada con n como en camión.**

COMPRENSIÓN AUDITIVA Listening Comprehension

Turn to page 18. Use the following directions to administer the test.

Pasen a la página 18. Ahora voy a leer una selección. Luego, les haré algunas preguntas. Escuchen con atención. Esta es la selección.

[Note: If you feel that some students are ready to read the selection and questions on their own, you may have them take this part of the test independently.]

El concurso de talento

Era el día del concurso de talento. Todos estaban emocionados.

El alcalde Torres subió al escenario. —Hoy será un día muy divertido. Es hora de comenzar el espectáculo —dijo. Toda la gente vitoreó.

Primero salió una banda. Ana tocó la guitarra, Carlos tocó el teclado y Julia tocó la batería. Todos cantaron. La multitud bailó.

Luego, Tony subió al escenario. Parecía asustado y no decía nada. Su hermana mayor salió y lo abrazó. Tony se sintió mejor y leyó un poema sobre su ciudad.

El último acto fue el Sr. y la Sra. Ruiz. La Sra. Ruiz tocó el piano y el Sr. Ruiz bailó tap. La multitud los adoró.

¡El alcalde Torres tenía razón! El concurso de talento fue divertido para todos

Ahora les haré algunas preguntas sobre la selección. Hay tres opciones de respuesta para cada pregunta. Rellenen el círculo que está debajo de su respuesta. Escuchen con atención.

11. **¿Qué hizo el alcalde Torres al comienzo del cuento? *hablar con la gente... cantar una canción... mirar el concurso de talento.* Rellenen el círculo que está debajo de la respuesta que muestra qué hizo el alcalde Torres al comienzo del cuento.**
12. **¿Qué hacían los miembros de la banda de Ana? *tocaban los tambores... cantaban... tocaban la guitarra*. Rellenen el círculo que está debajo de la respuesta que muestra qué hacían los miembros de la banda de Ana.**
13. **¿Qué hacía la multitud mientras Ana y su banda tocaban? *aplaudía.. cantaba... bailaba.* Rellenen el círculo que está debajo de la respuesta que muestra qué hacía la multitud mientras Ana y su banda tocaban.**
14. **Al principio, Tony no leyó su poema porque estaba: *asustado... sorprendido... emocionado.* Rellenen el círculo que está junto a la respuesta que indica porque Tony no leyó su poema al principio.**
15. **En una hoja aparte, escribe una oración que diga lo que hizo el Sr. Torres.**

ESCRITURA WRITING

Read the prompt aloud to students.

¿Qué harías en un concurso de talento? En una hoja aparte, haz un dibujo de un talento que le mostrarías a las personas. Escribe una oración sobre tu talento.

Texto para el maestro: Verificación del progreso Unidad 1, Semana 5

Teacher Scripting: Unit 1 Week 5 Progress Check-Up

PALABRAS DE USO FRECUENTE HIGH-FREQUENCY WORDS

Turn to page 21. Use the following directions to administer the test. Directions in **bold** are to be read aloud; others are for your information only.

Pasen a la página 21. Voy a leer el número y la oración en voz alta. Luego, voy a leer tres palabras. Escojan la palabra que mejor complete la oración. Rellenen el círculo que está junto a su respuesta. Voy a leer la oración dos veces.

1. **Busquen la fila que tiene el número 1. La mosca se paró *¿...qué? ¿hoy... allí... ahora?* La mosca se paró *¿...qué?***
2. **Busquen la fila que tiene el número 2. Ayer pasamos el *¿...qué?* en la playa. *¿sol... casa... día?* Ayer pasamos el *¿...qué?* en la playa.**
3. **Busquen la fila que tiene el número 3. Mi mascota es un *¿...qué?* chiquito. *¿perro... carro... palo?* Mi mascota es un *¿...qué?* chiquito.**
4. **Busquen la fila que tiene el número 4. Los domingos vamos al *¿...qué? ¿escuela... parque... cielo?* Los domingos vamos al *¿...qué?***
5. **Busquen la fila que tiene el número 5. El *¿...qué?* estuvo muy divertido. *¿paseo... noche... pelo?* El *¿...qué?* estuvo muy divertido.**

FONÉTICA PHONICS

Turn to page 22. Use the following directions to administer the test.

Pasen a la página 22. Voy a leer cada oración en voz alta. Luego, voy a leer tres opciones de respuesta. Rellenen el círculo que está junto a su respuesta.

6. **El <u>dado</u> es cuadrado. ¿Qué palabra tiene el mismo sonido inicial que la <u>d</u> en <u>dado</u>? *¿arde... dama... bola?* Rellenen el círculo que está junto a la palabra que tiene el mismo sonido inicial que la <u>d</u> en <u>dado</u>.**
7. **Voy a <u>pedir</u> una gaseosa de uva. ¿Qué palabra tiene una sílaba que comienza con el sonido <u>d</u> como en <u>pedir</u>? *¿adorno... lápiz... amor?* Rellenen el círculo que está junto a la palabra que tiene una sílaba que comienza con el sonido <u>d</u> como en <u>pedir</u>.**
8. **Me gustan <u>todos</u> los animales. ¿Qué palabra tiene el mismo sonido inicial que la <u>t</u> en <u>todos</u>? *¿hubo... dedo... tubo?* Rellenen el círculo que está junto a la palabra que tiene el mismo sonido inicial que la <u>t</u> en <u>todos</u>.**
9. **El perrito me da la <u>pata</u>. ¿Qué palabra tiene una sílaba con <u>t</u> como en <u>pata</u>? *¿modo... neto... misa?* Rellenen el círculo que está junto a la palabra que tiene una sílaba con <u>t</u> como en <u>pata</u>.**
10. **Mi papá come <u>tomates</u>. ¿Qué palabra tiene una sílaba con <u>t</u> como en <u>tomates</u>? *¿patín... domo... niño?* Rellenen el círculo que está junto a la palabra que tiene una sílaba con <u>t</u> como en <u>tomates</u>.**

COMPRENSIÓN AUDITIVA Listening Comprehension

Turn to page 23. Use the following directions to administer the test.

Pasen a la página 23. Ahora voy a leer una selección. Luego, les haré algunas preguntas. Escuchen con atención. Esta es la selección.

[Note: If you feel that some students are ready to read the selection and questions on their own, you may have them take this part of the test independently.]

Cómo podar un árbol

Podar un árbol puede ayudarlo a crecer. Estos son los pasos para podar un árbol.

Paso 1: Las personas que podan árboles deben usar cascos de seguridad, guantes y gafas protectoras. Quieren estar seguros.

Paso 2: Luego, los jardineros usan sierras para podar las ramas de los árboles.

Paso 3: Los jardineros buscan las ramas más grandes. Primero hacen cortes grandes.

Paso 4: Luego, los jardineros buscan las ramas más pequeñas. Hacen cortes pequeños para quitar las ramas más pequeñas.

Paso 5: Finalmente, los jardineros dejan que los árboles sanen.

Ahora les haré algunas preguntas sobre la selección. Hay tres opciones de respuesta para cada pregunta. Rellenen el círculo que está junto a su respuesta.

11. **La ilustración del Paso 1 muestra lo que los trabajadores usan para estar *felices... seguros... abrigados*. Rellenen el círculo que está junto a la respuesta que indica lo que muestra el Paso 1 que los trabajadores usan cuando quieren sentirse así.**
12. **¿Qué ilustración muestra los cortes que hacen primero los jardineros? *Ilustración 1... Ilustración 2... Ilustración 3.* Rellenen el círculo que está junto a la respuesta que muestra los cortes que hacen primero los jardineros.**
13. **Según la ilustración del Paso 5, después de que los árboles se podan, se deben *regar mucho... dejar que sanen... plantar en otro lugar*. Rellenen el círculo que está junto a la respuesta que indica qué debe suceder después de que los árboles se podan.**
14. **¿Qué paso debe observar el lector para saber qué herramienta se usa para podar los árboles? *El paso 1... El paso 2... El paso 3.* Rellenen el círculo que está junto a la respuesta que indica qué paso debe observar el lector para saber qué herramienta se usa para podar los árboles.**
15. **Escribe una oración que indique las tres cosas que un jardinero debe usar.**

ESCRITURA WRITING

Read the prompt aloud to students.

En una hoja aparte, haz un dibujo de un árbol saludable. Escribe una oración que diga cómo luce el árbol.

PALABRAS DE USO FRECUENTE HIGH-FREQUENCY WORDS

Turn to page 26. Use the following directions to administer the test. Directions in **bold** are to be read aloud; others are for your information only.

Pasen a la página 26. Voy a leer el número y la oración en voz alta. Luego, voy a leer tres palabras. Escojan la palabra que mejor complete la oración. Rellenen el círculo que está junto a su respuesta. Voy a leer la oración dos veces.

1. **Busquen la fila que tiene el número 1. *¿...qué? hora es? ¿Cómo ... Qué ... Por? ¿...qué?* hora es?**
2. **Busquen la fila que tiene el número 2. Primero fuimos al parque y *¿...qué?* a la tienda. *¿luego... más... otro?* Primero fuimos al parque y *¿...qué?* a la tienda.**
3. **Busquen la fila que tiene el número 3. El maestro llegó *¿...qué? ¿mañana... tarde... bueno?* El maestro llegó *¿...qué?***
4. **Busquen la fila que tiene el número 4. La niña no se siente *¿...qué? ¿bueno... ir... bien?* La niña no se siente *¿...qué?***
5. **Busquen la fila que tiene el número 5. El bebé *¿...qué?* más leche. *¿quiere... quiero... quien?* El bebé *¿...qué?* más leche.**

FONÉTICA PHONICS

Turn to page 27. Use the following directions to administer the test.

Pasen a la página 27. Voy a leer cada oración en voz alta. Luego, voy a leer tres opciones de respuesta. Rellenen el círculo que está junto a su respuesta.

6. **La bota es negra. ¿Qué palabra tiene una sílaba que comienza con el mismo sonido /b/ que bota? *¿mota... roca... boca?* Rellenen el círculo que está junto a la palabra que tiene una sílaba que comienza con el mismo sonido /b/ que bota.**
7. **Mi abuelo usa un bastón. ¿Qué palabra tiene una sílaba que comienza con el mismo sonido que la b en bastón? *¿bolsa... nueve... dedo?* Rellenen el círculo que está junto a la palabra que tiene una sílaba que comienza con el mismo sonido que la b en bastón.**
8. **Susana rebasa a Clara en la carrera. ¿Qué palabra tiene una sílaba que comienza con b como en rebasa? *¿abusa... dinero... avisa?* Rellenen el círculo que está junto a la palabra que tiene una sílaba que comienza con b como en rebasa.**
9. **Juan encontró una roca en el río. ¿Qué palabra tiene el mismo sonido /r/ que roca? *¿rosa... cosa... armar?* Rellenen el círculo que está junto a la palabra que tiene el mismo sonido /r/ que roca.**
10. **Quiero darte un regalo. ¿Qué palabra tiene una sílaba que comienza con r como en regalo? *¿tomo... racimo... carta?* Rellenen el círculo que está junto a la palabra que tiene una sílaba que comienza con r como en regalo.**

COMPRENSIÓN AUDITIVA LISTENING COMPREHENSION

Turn to page 28. Use the following directions to administer the test.

Pasen a la página 28. Ahora voy a leer una selección. Luego, les haré algunas preguntas. Escuchen con atención. Esta es la selección.

[Note: If you feel that some students are ready to read the selection and questions on their own, you may have them take this part of the test independently.]

De cordero a oveja

La lana proviene de las ovejas. ¡Aprendamos más sobre las ovejas!

La oveja bebé se llama cordero. Cuando el cordero nace, es muy pequeño y su madre lo cuida. Mientras el cordero crece, también le crece más lana en el cuerpo.

Los dientes de un cordero cambian a medida que crece. Al nacer, tiene aproximadamente ocho dientes de leche. Los dientes de leche están en la parte de inferior del hocico. No tiene dientes en la parte superior. Cuando el cordero cumple un año, pierde dos dientes de leche. Después, le salen dos nuevos dientes permanentes.

Cuando el cordero cumple un año sucede otra cosa: ya no se llama cordero. ¡Ahora es una oveja!

Cuando la oveja cumple cuatro años, ya no tiene ningún diente de leche. Tiene dientes permanentes en todo el hocico. Pronto, comienza a perder algunos dientes permanentes. Puedes saber qué edad tiene una oveja al mirar sus dientes.

¡Cuando el cordero crece, pasa por muchos cambios!

Ahora les haré algunas preguntas sobre la selección. Hay tres opciones de respuesta para cada pregunta. Rellenen el círculo que está junto a su respuesta. Escuchen con atención.

11. **¿Cuál es la idea principal de la selección? *Cuando un cordero cumple un año se llama oveja... Un cordero pasa por muchos cambios mientras crece... Cuando un cordero cumple cuatro años, tiene dientes permanentes.* Rellenen el círculo que está junto a la respuesta que indica cuál es la idea principal de la selección.**

12. **La idea principal del párrafo 3 es que** [Reread paragraph 3]. **¿Cuál es la idea principal del párrafo 3? *un cordero bebé se llama oveja... los dientes de un cordero cambian a medida que crece... puedes saber qué edad tiene una oveja al mirar su lana.* Rellenen el círculo que está junto a la respuesta que indica cuál es la idea principal del párrafo 3.**

13. **La idea principal del párrafo 5 es que** [Reread paragraph 5]. **¿Cuál es la idea principal del párrafo 5? *una oveja pierde los dientes y le crecen más dientes... una oveja tiene dientes permanentes cuando cumple cuatro años... puedes saber qué edad tiene una oveja al mirar sus dientes.* Rellenen el círculo que está junto a la respuesta que indica cuál es la idea principal del párrafo 5.**

14. **¿Cuál de los siguientes es un detalle importante del párrafo 2 de la selección?** [Reread paragraph 2.] **¿Cuál es un detalle importante del párrafo 2? *¡Aprendamos más sobre las ovejas!... Pronto, comienza a perder algunos dientes permanentes... Mientras el cordero crece, también le crece más lana en el cuerpo.* Rellenen el círculo que está junto a un detalle importante del párrafo 2.**

15. **Haz un dibujo y rotúlalo para mostrar la diferencia entre un cordero y una oveja adulta.**

ESCRITURA WRITING

Read the prompt aloud to students.

Piensa en algo que sabes que crece y cambia. En una hoja aparte, dibuja y escribe sobre algo que sabes que crece y cambia. Incluye un título en tu dibujo y escritura.

Texto para el maestro: Verificación del progreso Unidad 2, Semana 2

Teacher Scripting: Unit 2 Week 2 Progress Check-Up

PALABRAS DE USO FRECUENTE HIGH-FREQUENCY WORDS

Turn to page 31. Use the following directions to administer the test. Directions in **bold** are to be read aloud; others are for your information only.

Pasen a la página 31. Voy a leer el número y la oración en voz alta. Luego, voy a leer tres palabras. Escojan la palabra que mejor complete la oración. Rellenen el círculo que está junto a su respuesta. Voy a leer la oración dos veces.

1. **Busquen la fila que tiene el número 1. El granjero *¿...qué?* semillas en la tierra. *¿come... duerme... siembra?* El granjero *¿...qué?* semillas en la tierra.**
2. **Busquen la fila que tiene el número 2. Bingo se escondió *¿...qué?* de la puerta. *¿arriba... detrás... debajo?* Bingo se escondió *¿...qué?* de la puerta.**
3. **Busquen la fila que tiene el número 3. Cuando sea grande, quiero *¿...qué?* astronauta. *¿soy... ser... ir?* Cuando sea grande, quiero *¿...qué?* astronauta.**
4. **Busquen la fila que tiene el número 4. Yo quiero ir al cine, *¿...qué? también? ¿tú... tu... tus?* Yo quiero ir al cine, *¿...qué?* también?**
5. **Busquen la fila que tiene el número 5. Ella no *¿...qué?* abrir el frasco. *¿tiene... poder... puede?* Ella no *¿...qué?* abrir el frasco.**

FONÉTICA PHONICS

Turn to page 32. Use the following directions to administer the test.

Pasen a la página 32. Voy a leer cada oración en voz alta. Luego, voy a leer tres opciones de respuesta. Rellenen el círculo que está junto a su respuesta.

6. **El gato asustó a la ardilla. ¿Qué palabra comienza con el mismo sonido de ga que gato? *¿gana... jala... rana?* Rellenen el círculo que está junto a la palabra que comienza con el mismo sonido de ga que gato.**
7. **El grifo gotea. ¿Qué palabra comienza con el mismo sonido de go que gotea? *¿coma... toma... goma?* Rellenen el círculo que está junto a la palabra que comienza con el mismo sonido de go que gotea.**
8. **Me gusta el helado. ¿Qué palabra comienza con el mismo sonido de gu que gusta? *¿jugo... gusano... agrio?* Rellenen el círculo que está junto a la palabra que comienza con el mismo sonido de gu que gusta.**
9. **Yo quiero mucho a mi mascota. ¿Qué palabra tiene un dígrafo ch como en mucho? *¿chispa... cine... quiso?* Rellenen el círculo que está junto a la palabra que tiene un dígrafo ch como en mucho.**
10. **La rana está en un charco. ¿Qué palabra tiene un dígrafo ch como en charco? *¿horno... toque... derecha?* Rellenen el círculo que está junto a la palabra que tiene un dígrafo ch como en charco.**

COMPRENSIÓN AUDITIVA LISTENING COMPREHENSION

Turn to page 33. Use the following directions to administer the test. .

Pasen a la página 33. Ahora voy a leer una selección. Luego, les haré algunas preguntas. Escuchen con atención. Esta es la selección.

[Note: If you feel that some students are ready to read the selection and questions on their own, you may have them take this part of the test independently.]

De flor a fruta

¿Te gustan las manzanas, las peras y las naranjas? Sabías que todas las frutas que te gustan alguna vez fueron flores? Una planta pasa por muchas etapas para convertir una flor en fruta.

Las flores tienen un polvo especial dentro de ellas, llamado polen. El polen ayuda a las plantas a producir nuevas plantas. Insectos como las abejas y las mariposas recogen un poco de polen de una flor y lo transportan a otra flor.

El viento también puede transportar el polen.

El polen cae en una parte especial de la flor. Luego, la planta comienza a producir semillas. Después, los pétalos de las flores se caen. El resto de la flor comienza a convertirse en una fruta.

Pronto, la fruta se hace más grande y también puede cambiar de color. Esto significa que la fruta es dulce. ¡Está lista para comer!

Ahora les haré algunas preguntas sobre la selección. Hay tres opciones de respuesta para cada pregunta. Rellenen el círculo que está junto a su respuesta. Escuchen con atención.

11. ¿Qué oración del párrafo 1 te ayuda a entender que la selección se tratará sobre hechos que ocurren en orden? *¿Te gustan las manzanas, las peras y las naranjas?... ¿Sabías que todas las frutas que te gustan alguna vez fueron flores?... Una planta pasa por muchas etapas para convertir una flor en fruta.*

Rellenen el círculo que está junto a la respuesta que indica qué oración del párrafo 1 les ayuda a entender su estructura.

12. ¿Qué pasa después de que se caen los pétalos de las flores? *El viento transporta el polen... Los insectos llevan el polen a la flor... El resto de la flor se convierte en una fruta.*

Rellenen el círculo que está junto a la respuesta que indica qué pasa después de que se caen los pétalos de las flores.

13. ¿Cómo organiza el texto el autor? ***Cuenta un cuento de fantasía... Describe las partes de una flor... Organiza los hechos en una secuencia.***

Rellenen el círculo que está junto a la respuesta que indica cómo organiza el texto el autor.

14. ¿Cuál de las siguientes es una inferencia que puedes hacer después de leer la selección? ***No todas las frutas que comemos provienen de las flores... A los insectos y a las aves no les gusta transportar el polen... Las plantas necesitan a los animales y al viento para transportar el polen.***

Rellenen el círculo que está junto a la respuesta que es una inferencia que pueden hacer.

15. Escribe una inferencia sobre las abejas basada en la selección. Vuelve a leer el texto y usa lo que lees y lo que ya sabes. Escribe tu respuesta en una hoja aparte.

ESCRITURA WRITING

Read the prompt aloud to students..

Piensa en una fruta que hayas visto. En una hoja aparte, haz un dibujo sobre cómo una flor se convierte en una fruta y rotúlalo. Usa hechos y detalles en tu escritura.

Texto para el maestro: Verificación del progreso Unidad 2, Semana 3

Teacher Scripting: Unit 2 Week 3 Progress Check-Up

PALABRAS DE USO FRECUENTE HIGH-FREQUENCY WORDS

Turn to page 36. Use the following directions to administer the test. Directions in bold are to be read aloud; others are for your information only.

Pasen a la página 36. Voy a leer el número y la oración en voz alta. Luego, voy a leer tres palabras. Escojan la palabra que mejor complete la oración. Rellenen el círculo que está junto a su respuesta.

1. **Busquen la fila que tiene el número 1. En verano, cae mucha *¿...qué? ¿sol... lluvia... noche?* En verano, cae mucha *¿...qué?***
2. **Busquen la fila que tiene el número 2. Las vacas viven en la *¿...qué? ¿granja... cama... escuela?* Las vacas viven en la *¿...qué?***
3. **Busquen la fila que tiene el número 3. Yo *¿...qué?* quiero ir al cine. *¿creo... ver... también?* Yo *¿...qué?* quiero ir al cine.**
4. **Busquen la fila que tiene el número 4. Clara quiere *¿...qué?* la nueva película. *¿ver... ir... comer?* Clara quiere *¿...qué?* la nueva película.**
5. **Busquen la fila que tiene el número 5. En primavera, hace mucho *¿...qué? ¿frío... calor... nieve?* En primavera, hace mucho *¿...qué?***

FONÉTICA PHONICS

Turn to page 37. Use the following directions to administer the test.

Pasen a la página 37. Voy a leer cada oración en voz alta. Luego, voy a leer tres opciones de respuesta. Rellenen el círculo que está junto a su respuesta.

6. **El ratón come <u>queso</u>. ¿Qué palabra tiene el mismo sonido /k/ como en <u>queso</u>? *¿quema... tema... cera?* Rellenen el círculo que está junto a la palabra que tiene el mismo sonido /k/ como en <u>queso</u>.**
7. **Mi papá hizo una <u>maqueta</u>. ¿Qué palabra tiene una sílaba con <u>que</u> como en <u>maqueta</u>? *¿canica... quedo... kiosco?* Rellenen el círculo que está junto a la palabra que tiene una sílaba con *que* como en <u>maqueta</u>.**
8. **La niña espera el autobús en la <u>esquina</u>. ¿Qué palabra tiene una sílaba con <u>qui</u> como en <u>esquina</u>? *¿chiquito... cocina... lámina?* Rellenen el círculo que está junto a la palabra que tiene una sílaba con <u>qui</u> como en <u>esquina</u>.**
9. **Hay una <u>araña</u> en el jardín. ¿Qué palabra tiene el mismo sonido /ñ/ como en <u>araña</u>? *¿mango... rebaño... rebano?* Rellenen el círculo que está junto a la palabra que tiene el mismo sonido /ñ/ como en <u>araña</u>.**
10. **Hoy es mi <u>cumpleaños</u>. ¿Qué palabra tiene una sílaba con <u>ñ</u> como en <u>cumpleaños</u>? *¿paño... unos... manos?* Rellenen el círculo que está junto a la palabra que una sílaba con <u>ñ</u> como en <u>cumpleaños</u>.**

COMPRENSIÓN AUDITIVA Listening Comprehension

Pase a la página 38. Use las siguientes instrucciones para administrar el examen.

Pasen a la página 38. Ahora voy a leer una selección. Luego, les haré algunas preguntas. Escuchen con atención. Esta es la selección.

[Note: If you feel that some students are ready to read the selection and questions on their own, you may have them take this part of the test independently.]

Las focas arpa

La foca arpa es un animal que vive en aguas muy frías. Las focas arpa bebés se ven muy diferentes de sus padres.

La foca arpa bebé se llama cachorro. Es blanco, peludo y pequeño, pero no se mantiene de este tamaño por mucho tiempo.

Pronto, el cachorro estará listo para dejar a su madre. Esto significa que el cachorro debe aprender a obtener comida por sí mismo.

A medida que la foca crece, se hace más grande. Puede pesar hasta trescientas libras. ¡Eso es casi el mismo peso que una motocicleta!

El pelaje de la foca arpa cambia a medida que crece. El pelaje blanco comienza a caerse y la foca arpa se vuelve gris con manchas oscuras. ¡La foca arpa se ve muy diferente cuando es adulta!

Ahora les haré algunas preguntas sobre la selección. Hay tres opciones de respuesta para cada pregunta. Rellenen el círculo que está junto a su respuesta. Escuchen con atención.

11. ¿Por qué el autor escribió "Las focas arpa"? *Para informar al lector sobre las focas arpa... Para convencer al lector de que le gusten las focas arpa... Para entretener al lector con cuentos sobre las focas arpa.* Rellenen el círculo que está junto a la respuesta que indica por qué el autor escribió "Las focas arpa".

12. ¿Qué quiere el autor que entiendas después de leer esta selección? *Cómo viven las focas arpa en el frío... Cómo comen, beben y duermen las focas arpa... Cómo cambian a medida que crecen las focas arpa.* Rellenen el círculo que está junto a la respuesta que indica qué quiere el autor que entiendan.

13. Ahora voy a volver a leer el párrafo 4.[Re-read paragraph 4.]. **¿Qué intenta enseñarte el autor en el párrafo 4? *Qué tan grande es una foca arpa adulta... Cómo se ve el pelaje de una foca arpa... Cuándo deja a su madre la foca arpa.* Rellenen el círculo que está junto a la respuesta que indica qué intenta enseñarles el autor en el párrafo 4.**

14. **Ahora voy a volver a leer una oración de la selección. *¡Eso es casi el mismo peso que una motocicleta!* ¿Por qué el autor incluye esta oración? *Para enseñar al lector sobre motocicletas... Para mostrar qué tan pesada puede ser la foca arpa... Para explicar que tan rápido pueden nadar las focas arpa.* Rellenen el círculo que está junto a la respuesta que indica por qué el autor incluye la oración *¡Eso es casi el mismo peso que una motocicleta!***
15. **En una hoja aparte, escribe dos preguntas que le harías al autor.**

ESCRITURA WRITING

Read the prompt aloud to students.

Piensa en un animal que conoces. En una hoja aparte, haz un dibujo del animal y escribe sobre cómo crece y cambia. Usa hechos y detalles en tu escritura.

Texto para el maestro: Verificación del progreso Unidad 2, Semana 4

Teacher Scripting: Unit 2 Week 4 Progress Check-Up

PALABRAS DE USO FRECUENTE HIGH-FREQUENCY WORDS

Turn to page 41. Use the following directions to administer the test. Directions in **bold** are to be read aloud; others are for your information only.

Pasen a la página 41. Voy a leer el número y la oración en voz alta. Luego, voy a leer tres palabras. Escojan la palabra que mejor complete la oración. Rellenen el círculo que está junto a su respuesta. Voy a leer la oración dos veces.

1. **Busquen la fila que tiene el número 1. En invierno, hace mucho *¿...qué? ¿calor... lluvia... frío?* En invierno, hace mucho *¿...qué?***
2. **Busquen la fila que tiene el número 2. Me encanta *¿...qué?* en la cafetería. *¿saltar... comer... dormir?* Me encanta *¿...qué?* en la cafetería.**
3. **Busquen la fila que tiene el número 3. Mi perro duerme *¿...qué?* de su casa. *¿dentro... encima... debajo?* Mi perro duerme *¿...qué?* de su casa.**
4. **Busquen la fila que tiene el número 4. Tengo sueño, ya me voy a *¿...qué? ¿bañar... dormir... comer?* Tengo sueño, ya me voy a *¿...qué?***
5. **Busquen la fila que tiene el número 5. El aire *¿...qué?* las hojas. *¿mueve... come... bebe?* El aire *¿...qué?* las hojas.**

FONÉTICA PHONICS

Turn to page 42. Use the following directions to administer the test.

Pasen a la página 42. Voy a leer cada oración en voz alta. Luego, voy a leer tres opciones de respuesta. Rellenen el círculo que está junto a su respuesta.

6. **Comimos merengue de postre. ¿Qué palabra tiene el mismo sonido de gue que merengue? *¿sigue... Gina... jamón?* Rellenen el círculo que está junto a la palabra que tiene el mismo sonido de gue que merengue.**
7. **Mi tía trajo el guiso. ¿Qué palabra tiene el mismo sonido de gui que guiso? *¿jugar... guinda... goma?* Rellenen el círculo que está junto a la palabra que tiene el mismo sonido de gui que guiso.**
8. **Guarda todos los juguetes. ¿Qué palabra tiene una sílaba con gue como en juguetes? *¿manguera... girasol... jalar?* Rellenen el círculo que está junto a la palabra que tiene una sílaba con gue como en juguetes.**
9. **Yo tengo un gorro nuevo. ¿Qué palabra tiene el mismo sonido de */rr/* que gorro? *¿carro... marzo... gordo?* Rellenen el círculo que está junto a la palabra que tiene el mismo sonido de */rr/* que gorro.**
10. **El saco es color marrón. ¿Qué palabra tiene un dígrafo rr como en marrón? *¿cartera... rama... carrera?* Rellenen el círculo que está junto a la palabra que tiene un dígrafo rr como en marrón**

COMPRENSIÓN AUDITIVA Listening Comprehension

Turn to page 43. Use the following directions to administer the test.

Pasen a la página 43. Ahora voy a leer una selección. Luego, les haré algunas preguntas.

[Note: If you feel that some students are ready to read the selection and questions on their own, you may have them take this part of the test independently.]

El canario cantor

Canario cantas
una canción,
que me llega
al corazón.

¿Podrás entonar
otro día
esa misma melodía?

Ahora les haré algunas preguntas sobre la selección. Hay tres opciones de respuesta para cada pregunta. Rellenen el círculo que está junto a su respuesta. Escuchen con atención.

11. **¿Cuáles son las dos palabras que riman en la primera parte del poema? Voy a volver a leer la primera parte del poema: *Canario cantas una canción, que me llega al corazón. ¿cantas, canción... que, llega... canción, corazón?* Rellenen el círculo que está junto a la respuesta que tiene dos palabras que riman.**
12. **Escucha esta línea del poema: *Canario cantas.* ¿Cuántos tiempos hay en esta línea? *¿2... 5... 6?* Rellenen el círculo que está junto a la respuesta que indica cuántos tiempos hay.**
13. **¿Cuáles son las dos palabras que riman en la segunda parte del poema? Voy a volver a leer la segunda parte del poema: *¿Podrás entonar otro día esa misma melodía? ¿entonar, otro... día, melodía... misma, melodía?* Rellenen el círculo que está junto a la respuesta que tiene dos palabras que riman.**
14. **Escucha esta línea del poema: *¿Podrás entonar*. ¿Cuántos tiempos hay en esta línea? *¿3... 4... 5?* Rellenen el círculo que está junto a la respuesta que indica cuántos tiempos hay.**
15. **¿Cómo sabes que esta selección es un poema? Escribe tu respuesta en una hoja aparte.**

ESCRITURA WRITING

Read the prompt aloud to students.

Piensa en un animal que conoces. En una hoja aparte, haz un dibujo del animal. Luego, escribe un hecho sobre el animal. Encierra en un círculo una palabra de la oración que escribiste y escribe otra palabra que rime con ella.

Texto para el maestro: Verificación del progreso Unidad 2, Semana 5

Teacher Scripting: Unit 2 Week 5 Progress Check-Up

PALABRAS DE USO FRECUENTE HIGH-FREQUENCY WORDS

Turn to page 46. Use the following directions to administer the test. Directions in bold are to be read aloud; others are for your information only.

Pasen a la página 46. Voy a leer el número y la oración en voz alta. Luego, voy a leer tres palabras. Escojan la palabra que mejor complete la oración. Rellenen el círculo que está junto a su respuesta. Voy a leer la oración dos veces.

1. **Busquen la fila que tiene el número 1. ¡Ellos *¿...qué?* cuatro mascotas! *¿tuve... tienen... tengo?* ¡Ellos *¿...qué?* cuatro mascotas!**
2. **Busquen la fila que tiene el número 2. Mi abuelo me *¿...qué?* cinco canicas. *¿doy... dar... dio?* Mi abuelo me *¿...qué?* cinco canicas.**
3. **Busquen la fila que tiene el número 3. El ave tiene unas alas muy *¿...qué? ¿grandes... ricas... bajas?* El ave tiene unas alas muy *¿...qué?***
4. **Busquen la fila que tiene el número 4. El niño *¿...qué?* cinco patos en el estanque. *¿ve... vi... vieron?* El niño *¿...qué?* cinco patos en el estanque.**
5. **Busquen la fila que tiene el número 5. Mamá dice que *¿...qué?* vamos a ir a la playa. *¿hoy... ayer... tengo?* Mamá dice que *¿...qué?* vamos a ir a la playa.**

FONÉTICA PHONICS

Turn to page 47. Use the following directions to administer the test.

Pasen a la página 47. Voy a leer cada oración en voz alta. Luego, voy a leer tres opciones de respuesta. Rellenen el círculo que está junto a su respuesta.

6. **El sándwich es de <u>jamón</u>. ¿Qué palabra tiene el mismo sonido que la <u>j</u> en <u>jamón</u>? *¿jarra... garra... tarro?* Rellenen el círculo que está junto a la palabra que tiene el mismo sonido que la <u>j</u> en <u>jamón</u>.**
7. **El <u>cajón</u> es de madera. ¿Qué palabra tiene una sílaba con <u>j</u> como en <u>cajón</u>? *¿guante... debajo... guitarra?* Rellenen el círculo que está junto a la palabra que tiene una sílaba con <u>j</u> como en <u>cajón</u>.**
8. **El <u>avestruz</u> vive en el zoológico. ¿Qué palabra tiene el mismo sonido que la <u>v</u> en <u>avestruz</u>? *¿adiestrar... avaro... dormir?* Rellenen el círculo que está junto a la palabra que tiene el mismo sonido que la <u>v</u> en <u>avestruz</u>.**
9. **El <u>vestido</u> de mi hermana es rojo. ¿Qué palabra tiene una sílaba con <u>v</u> como en <u>vestido</u>? *¿bomba... venir... dulce?* Rellenen el círculo que está junto a la palabra que tiene una sílaba con <u>v</u> como en <u>vestido</u>.**
10. **Las tortugas <u>viven</u> muchos años. ¿Qué palabra comienza con una sílaba con <u>v</u> como en <u>viven</u>? *¿dolor... nube... tuvo?* Rellenen el círculo que está junto a la palabra que comienza con una sílaba con <u>v</u> como en <u>viven</u>.**

COMPRENSIÓN AUDITIVA Listening Comprehension

Turn to page 48. Use the following directions to administer the test.

Pasen a la página 48. Ahora voy a leer una selección. Luego, les haré algunas preguntas. Escuchen con atención. Esta es la selección.

[Note: If you feel that some students are ready to read the selection and questions on their own, you may have them take this part of the test independently.]

El diente de Luz

Personajes:

LUZ, una niña visitando a su tía
TÍA TERESA, la tía de Luz

***El apartamento de la* TÍA TERESA**
(LUZ *está en la sala).*

LUZ: ¡Tía! Necesito tu ayuda.
TÍA TERESA: Sí, Luz. ¿Qué pasa?
LUZ: ¡Mira! Mi diente simplemente se cayó de mi boca.

(LUZ *abre su mano para mostrar a la* TÍA TERESA *el diente de leche).*

LUZ: ¿Se supone que eso debe suceder?
TÍA TERESA: ¡Sí! Cuando naciste, no tenías dientes. Luego te salieron algunos dientes. Esos son tus dientes de leche. No te quedas con esos dientes para siempre. Los dientes de leche se caen para que salgan los dientes permanentes.

(LUZ *se ve confundida*).

LUZ: ¿Tú también tuviste dientes de leche?
TÍA TERESA: Sí, yo tuve dientes de leche cuando tenía tu edad.
LUZ: ¡Eso debe haber sido hace mucho tiempo!

(*La* TÍA TERESA *sonríe*).

TÍA TERESA: Ahora tengo dientes permanentes. El diente que te va a salir es parte del crecimiento.

Ahora les haré algunas preguntas sobre la selección. Hay tres opciones de respuesta para cada pregunta. Rellenen el círculo que está junto a su respuesta. Escuchen con atención.

11. **¿Cuál es el ambiente de la obra? *La casa de Luz... El consultorio del dentista... El apartamento de la tía Teresa*. Rellenen el círculo que está junto a la respuesta que indica cuál es el ambiente de la obra.**

12. **¿Quiénes son los personajes de la obra? *Luz y la tía Teresa... Luz y las amigas de Luz... Luz, la mamá de Luz y la tía Teresa.* Rellenen el círculo que está junto a la respuesta que indica quiénes son los personajes de la obra.**

13. **¿Cuál de los siguientes es un ejemplo de un diálogo en la obra? *Luz está en la sala... La tía Teresa sonríe... ¿Tú también tuviste dientes de leche?* Rellenen el**

círculo que está junto a la respuesta que da un ejemplo de un diálogo en la obra.

14. Voy a volver a leer unas líneas de la obra.

    LUZ: ¡Eso debe haber sido hace mucho tiempo!

    (La TÍA TERESA sonríe).

    TÍA TERESA: Ahora tengo dientes permanentes. El diente que te va a salir es parte del crecimiento.

    ¿A qué conclusión puedes llegar sobre la tía Teresa a partir de estas líneas? *La tía Teresa está feliz... La tía Teresa está enojada... La tía Teresa está confundida.* Rellenen el círculo que está junto a la respuesta que indica a qué conclusión pueden llegar.

15. ¿Qué inferencia puedes hacer sobre cómo se siente Luz cuando se le cae el diente? Escribe tu respuesta en una hoja aparte.

ESCRITURA WRITING

Read the prompt aloud to students.

Piensa en una forma en que las personas crecen y cambian. En una hoja aparte, haz un dibujo y escribe sobre este cambio. Usa hechos y detalles en tu escritura.

Clave de respuestas para las verificaciones del progreso Progress Check-Ups Answer Key

UNIDAD 1, SEMANA 1 UNIT 1, WEEK 1

Nombre______ El apagón

Palabras de uso frecuente

Instrucciones: Escoge la palabra que mejor complete la oración.

1 Yo ______ tres años mayor que mi hermanito.
● soy ○ somos ○ eres

2 Hoy ______ más estrellas en el cielo que ayer.
○ soy ○ voy ● veo

3 Hay ______ rana en el jardín.
● una ○ un ○ dos

4 La pelota cayó ______ el patio del vecino.
○ al ○ del ● en

5 La niña irá directo a ______ casa.
● su ○ el ○ fue

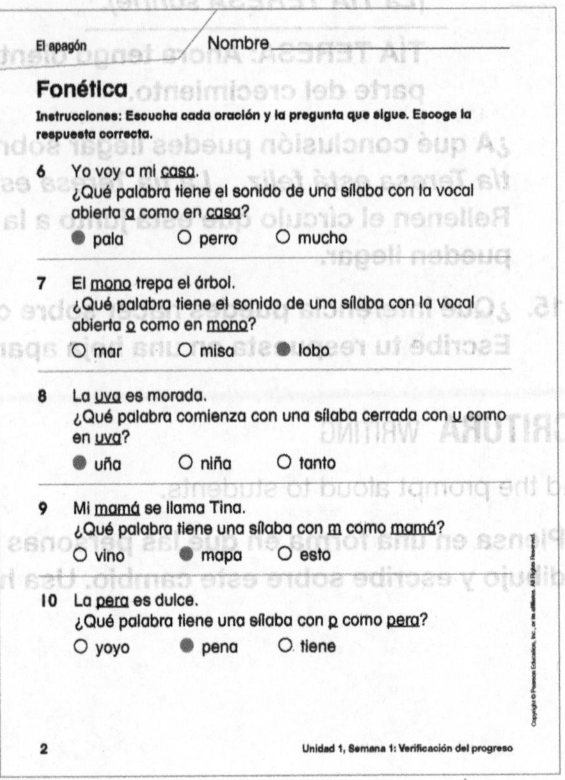

El apagón Nombre______

Fonética

Instrucciones: Escucha cada oración y la pregunta que sigue. Escoge la respuesta correcta.

6 Yo voy a mi casa.
¿Qué palabra tiene el sonido de una sílaba con la vocal abierta *a* como en *casa*?
● pala ○ perro ○ mucho

7 El mono trepa el árbol.
¿Qué palabra tiene el sonido de una sílaba con la vocal abierta *o* como en *mono*?
○ mar ○ misa ● lobo

8 La uva es morada.
¿Qué palabra comienza con una sílaba cerrada con *u* como en *uva*?
● uña ○ niña ○ tanto

9 Mi mamá se llama Tina.
¿Qué palabra tiene una sílaba con *m* como *mamá*?
○ vino ● mapa ○ esto

10 La pera es dulce.
¿Qué palabra tiene una sílaba con *p* como *pera*?
○ yoyo ● pena ○ tiene

El apagón Nombre______

11 ¿Cómo se siente la narradora cuando llega a la casa de María?
○ ● ○

12 ¿Quién le da a la narradora el sombrero, los guantes y el traje?
○ ○ ●

13 ¿Cómo se siente la narradora en los párrafos 6, 7 y 8 cuando la abeja se para en su mano?
● ○ ○

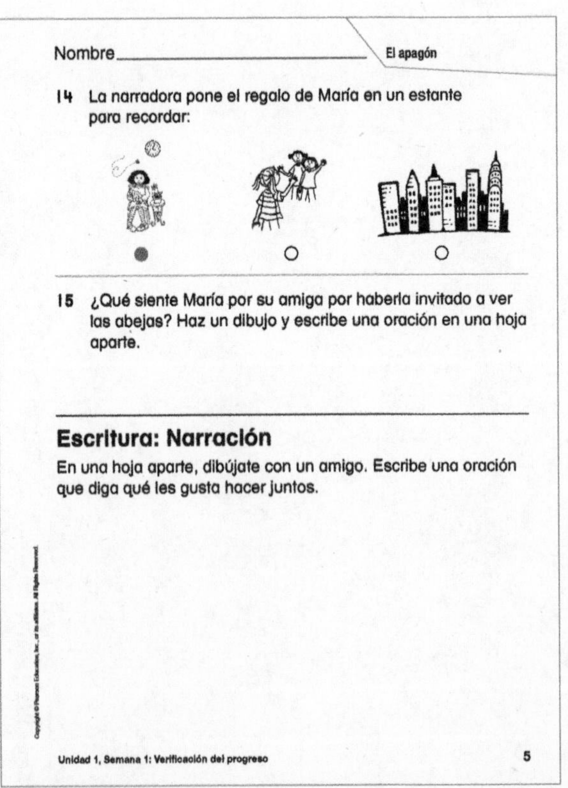

Nombre______ El apagón

14 La narradora pone el regalo de María en un estante para recordar:
● ○ ○

15 ¿Qué siente María por su amiga por haberla invitado a ver las abejas? Haz un dibujo y escribe una oración en una hoja aparte.

Escritura: Narración

En una hoja aparte, dibújate con un amigo. Escribe una oración que diga qué les gusta hacer juntos.

Henry sobre ruedas Nombre__________

Palabras de uso frecuente

Instrucciones: Escoge la palabra que mejor complete la oración.

1 Comeremos _____ postre después de cenar.
● un ○ una ○ la

2 El perro _____ su mascota.
○ un ○ soy ● es

3 La niña _____ con sus muñecas.
● juega ○ come ○ trepa

4 ¿Puedo ir al parque _____ mis amigos?
○ de ● con ○ en

5 El niño y la _____ son hermanos.
○ prima ● niña ○ perro

Nombre__________ Henry sobre ruedas

Fonética

Instrucciones: Escucha cada oración y la pregunta que sigue. Escoge la respuesta correcta.

6 Mi tía Anel compró una lata de miel.
¿Qué palabra tiene una sílaba que comienza con el sonido de l?
● lata ○ Anel ○ miel

7 Me gustan la lima y el limón, pero no me gusta la col.
¿Qué palabra tiene una sílaba que termina con el sonido de l?
○ lima ○ limón ● col

8 El color favorito de Lily es el violeta.
¿Qué palabra tiene la consonante l inicial?
● Lily ○ color ○ violeta

9 El Sr. Camil se lima las uñas.
¿Qué palabra comienza con la misma sílaba que lima?
● libre ○ lente ○ lupa

10 El color favorito de Carla es el azul.
¿Qué palabra tiene la consonante l final?
● azul ○ Carla ○ color

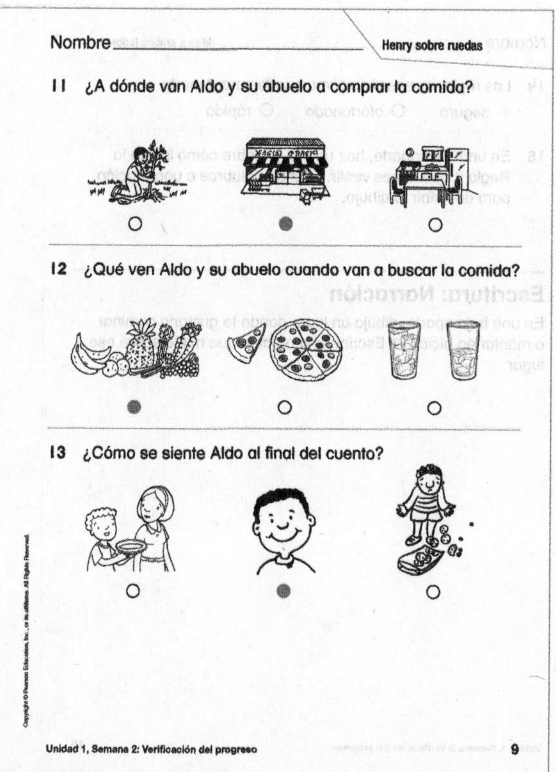

Nombre__________ Henry sobre ruedas

11 ¿A dónde van Aldo y su abuelo a comprar la comida?
○ ● ○

12 ¿Qué ven Aldo y su abuelo cuando van a buscar la comida?
● ○ ○

13 ¿Cómo se siente Aldo al final del cuento?
○ ● ○

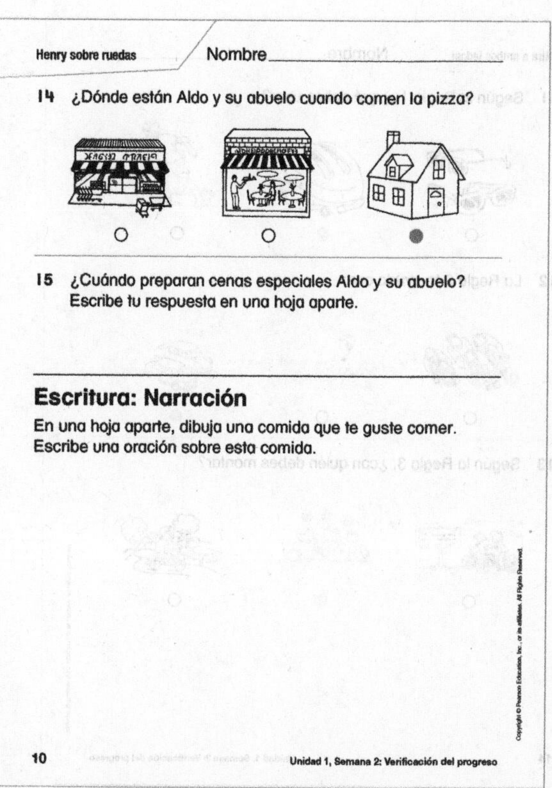

Henry sobre ruedas Nombre__________

14 ¿Dónde están Aldo y su abuelo cuando comen la pizza?
○ ○ ●

15 ¿Cuándo preparan cenas especiales Aldo y su abuelo?
Escribe tu respuesta en una hoja aparte.

Escritura: Narración

En una hoja aparte, dibuja una comida que te guste comer.
Escribe una oración sobre esta comida.

Nombre ______________ ¡Mira a ambos lados!

Palabras de uso frecuente

Instrucciones: Escoge la palabra que mejor complete la oración.

1 ¡Luisa, ven, ______ qué rápido va el tren!
● mira ○ son ○ el

2 Mi hermano ______ jugando con su amigo.
○ estoy ● está ○ es

3 Mi papá y yo ______ a ir al cine.
● vamos ○ vemos ○ voy

4 Mi casa está ______ de la escuela.
○ por ○ debajo ● cerca

5 Esa sombrilla es ______ mi mamá.
○ por ● de ○ con

¡Mira a ambos lados! Nombre ______________

Fonética

Instrucciones: Escucha cada oración y la pregunta que sigue. Escoge la respuesta correcta.

6 Pedro está sentado en la silla.
¿Qué palabra tiene el mismo sonido inicial de s que silla?
● sopa ○ cuatro ○ queso

7 Yo tengo dos manos.
¿Qué palabra tiene el mismo sonido final de s que dos?
○ uso ● tos ○ solo

8 Mi mes favorito es diciembre.
¿Qué palabra tiene la misma consonante s final que mes?
● las ○ suyo ○ caso

9 La sopa es de papa.
¿Qué palabra tiene la misma consonante s inicial que sopa?
○ risa ● sapo ○ vez

10 El sol brilla en el cielo.
¿Qué palabra tiene el mismo sonido de s que sol?
● suyo ○ coco ○ cuatro

¡Mira a ambos lados! Nombre ______________

11 Según la Regla 1, ¿qué debes usar?
○ ● ○

12 La Regla 2 te ayuda con:
○ ○ ●

13 Según la Regla 3, ¿con quién debes montar?
○ ● ○

Nombre ______________ ¡Mira a ambos lados!

14 Las reglas te enseñan cómo puedes mantenerte
● seguro ○ afortunado ○ rápido

15 En una hoja aparte, haz un dibujo sobre cómo indica la Regla 2 que debes vestir. Escribe palabras o una oración para describir tu dibujo.

Escritura: Narración

En una hoja aparte, dibuja un lugar donde te gustaría caminar o montar en bicicleta. Escribe una oración que hable sobre ese lugar.

Fiesta de jardín/ Clic, Clac, Clic

Nombre________________

Palabras de uso frecuente

Instrucciones: Escoge la palabra que mejor complete la oración.

1 Pepe ________ muchos juguetes.
○ tengo ○ somos ● tiene

2 Yo tengo un gato ________ un perro.
○ a ● y ○ el

3 Mi maestra es muy buena. ________ se llama Tina.
○ Él ○ Yo ● Ella

4 ¿Qué ________ de comer?
○ para ● hay ○ hoy

5 Mi ________ está en una esquina.
○ sol ● casa ○ cielo

Nombre________________

Fiesta de jardín/ Clic, Clac, Clic

Fonética

Instrucciones: Escucha cada oración y la pregunta que sigue. Escoge la respuesta correcta.

6 La ardilla come una nuez.
¿Qué palabra tiene una sílaba que comienza con n como en nuez?
○ otro ○ como ● cono

7 El pan está duro.
¿Qué palabra termina con la letra n como en pan?
● ven ○ tuna ○ solo

8 El ave está en su nido.
¿Qué palabra tiene una sílaba abierta con n como en nido?
○ más ○ Toño ● nube

9 La pintura es azul.
¿Qué palabra tiene una sílaba que termina en n como en pintura?
○ risa ○ normal ● pantera

10 El camión hace mucho ruido.
¿Qué palabra termina en una sílaba cerrada con n como en camión?
○ nada ● marrón ○ mar

Nombre________________

Fiesta de jardín/ Clic, Clac, Clic

11 ¿Qué hizo el alcalde Torres al comienzo del cuento?
● ○ ○

12 ¿Qué hacían los miembros de la banda de Ana?
○ ● ○

13 ¿Qué hacía la multitud mientras Ana y su banda tocaban?
○ ○ ●

Fiesta de jardín/ Clic, Clac, Clic

Nombre________________

14 Al principio, Tony no leyó su poema porque estaba
● asustado ○ sorprendido ○ emocionado

15 En una hoja aparte, escribe una oración que diga lo que hizo el Sr. Torres.

Escritura: Narración

¿Qué harías en un concurso de talento? En una hoja aparte, haz un dibujo de un talento que le mostrarías a las personas. Escribe una oración sobre tu talento.

Nombre__________ Hacer un mapa

Palabras de uso frecuente

Instrucciones: Escoge la palabra que mejor complete la oración.

1 La mosca se paró ______.
- ○ hoy ● allí ○ ahora

2 Ayer pasamos el ______ en la playa.
- ○ sol ○ casa ● día

3 Mi mascota es un ______ chiquito.
- ● perro ○ carro ○ palo

4 Los domingos vamos al ______.
- ○ escuela ● parque ○ cielo

5 El ______ estuvo muy divertido.
- ● paseo ○ noche ○ pelo

Hacer un mapa Nombre__________

Fonética

Instrucciones: Escucha cada oración y la pregunta que sigue. Escoge la respuesta correcta.

6 El dado es cuadrado.
¿Qué palabra tiene el mismo sonido inicial que la d en dado?
- ○ arde ● dama ○ bola

7 Voy a pedir una gaseosa de uva.
¿Qué palabra tiene una sílaba que comienza con el sonido d como en pedir?
- ● adorno ○ lápiz ○ amor

8 Me gustan todos los animales.
¿Qué palabra tiene el mismo sonido inicial que la t en todos?
- ○ hubo ○ dedo ● tubo

9 El perrito me da la pata.
¿Qué palabra tiene una sílaba con t como en pata?
- ○ modo ● neto ○ misa

10 Mi papá come tomates.
¿Qué palabra tiene una sílaba con t como en tomates?
- ● patín ○ domo ○ niño

Hacer un mapa Nombre__________

11 La ilustración del Paso 1 muestra lo que los trabajadores usan para estar
- ○ felices.
- ● seguros.
- ○ abrigados.

12 ¿Qué ilustración muestra los cortes que hacen primero los jardineros?
- ○
- ○
- ●

13 Según la ilustración del Paso 5, después de que los árboles se podan, se deben
- ○ regar mucho.
- ● dejar que sanen.
- ○ plantar en otro lugar.

Nombre__________ Hacer un mapa

14 ¿Qué paso debe observar el lector para saber qué herramienta se usa para podar los árboles?
- ○ El paso 1
- ● El paso 2
- ○ El paso 3

15 Escribe una oración que indique las tres cosas que un jardinero debe usar.

Escritura: Narración

En una hoja aparte, haz un dibujo de un árbol saludable. Escribe una oración que diga cómo luce el árbol.

Palabras de uso frecuente

Instrucciones: Escoge la palabra que mejor complete la oración.

1 ¿_____ hora es?
○ Cómo ● Qué ○ Por

2 Primero fuimos al parque y _____ a la tienda.
● luego ○ más ○ otro

3 El maestro llegó _____.
○ mañana ● tarde ○ bueno

4 La niña no se siente _____.
○ bueno ○ ir ● bien

5 El bebé _____ más leche.
● quiere ○ quiero ○ quien

Fonética

Instrucciones: Escucha cada oración y la pregunta que sigue. Escoge la respuesta correcta.

6 La <u>bota</u> es negra.
¿Qué palabra tiene una sílaba que comienza con el mismo sonido /b/ que <u>bota</u>?
○ mota ○ roca ● boca

7 Mi abuelo usa un <u>bastón</u>.
¿Qué palabra tiene una sílaba que comienza con el mismo sonido que la <u>b</u> en <u>bastón</u>?
● bolsa ○ nueve ○ dedo

8 Susana <u>rebasa</u> a Clara en la carrera.
¿Qué palabra tiene una sílaba que comienza con <u>b</u> como <u>rebasa</u>?
● abusa ○ dinero ○ avisa

9 Juan encontró una <u>roca</u> en el río.
¿Qué palabra tiene el mismo sonido /r/ que <u>roca</u>?
● rosa ○ cosa ○ armar

10 Quiero darte un <u>regalo</u>.
¿Qué palabra tiene una sílaba que comienza con <u>r</u> como en <u>regalo</u>?
○ tomo ● racimo ○ carta

11 ¿Cuál es la idea principal de la selección?
○ Cuando un cordero cumple un año se llama oveja.
● Un cordero pasa por muchos cambios mientras crece.
○ Cuando un cordero cumple cuatro años, tiene dientes permanentes.

12 La idea principal del párrafo 3 es que
○ un cordero bebé se llama oveja.
● los dientes de un cordero cambian a medida que crece.
○ puedes saber qué edad tiene una oveja al mirar su lana.

13 La idea principal del párrafo 5 es que
○ una oveja pierde los dientes y le crecen más dientes.
○ una oveja tiene dientes permanentes cuando cumple cuatro años.
● puedes saber qué edad tiene una oveja al mirar sus dientes.

14 ¿Cuál de los siguientes es un detalle importante del párrafo 2 de la selección?
○ *¡Aprendamos más sobre las ovejas!*
○ *Pronto, comienza a perder algunos dientes permanentes.*
● *Mientras el cordero crece, también le crece más lana en el cuerpo.*

15 Haz un dibujo y rotúlalo para mostrar la diferencia entre un cordero y una oveja adulta.

Escritura: Escritura informativa

Piensa en algo que sabes que crece y cambia. En una hoja aparte, dibuja y escribe sobre algo que sabes que crece y cambia. Incluye un título en tu dibujo y escritura.

Nombre __________ El ciclo de vida de un girasol

Palabras de uso frecuente

Instrucciones: Escoge la palabra que mejor complete la oración.

1 El granjero ______ semillas en la tierra.
○ come ○ duerme ● siembra

2 Bingo se escondió ______ de la puerta.
○ arriba ● detrás ○ debajo

3 Cuando sea grande, quiero ______ astronauta.
○ soy ● ser ○ ir

4 Yo quiero ir al cine, ¿______ también?
● tú ○ tu ○ tus

5 Ella no ______ abrir el frasco.
○ tiene ○ poder ● puede

El ciclo de vida de un girasol Nombre __________

Fonética

Instrucciones: Escucha cada oración y la pregunta que sigue. Escoge la respuesta correcta.

6 El gato asustó a la ardilla.
¿Qué palabra comienza con el mismo sonido de ga que gato?
● gana ○ jala ○ rana

7 El grifo gotea.
¿Qué palabra comienza con el mismo sonido de go que gotea?
○ coma ○ toma ● goma

8 Me gusta el helado.
¿Qué palabra comienza con el mismo sonido de gu que gusta?
○ jugo ● gusano ○ agrio

9 Yo quiero mucho a mi mascota.
¿Qué palabra tiene un dígrafo ch como en mucho?
● chispa ○ cine ○ quiso

10 La rana está en un charco.
¿Qué palabra tiene un dígrafo ch como en charco?
○ horno ○ toque ● derecha

El ciclo de vida de un girasol Nombre __________

11 ¿Qué oración del párrafo 1 te ayuda a entender que la selección se tratará sobre hechos que ocurren en orden?
○ *¿Te gustan las manzanas, las peras y las naranjas?*
○ *¿Sabías que todas las frutas que te gustan alguna vez fueron flores?*
● *Una planta pasa por muchas etapas para convertir una flor en fruta.*

12 ¿Qué pasa después de que se caen los pétalos de las flores?
○ El viento transporta el polen.
○ Los insectos llevan el polen a la flor.
● El resto de la flor se convierte en una fruta.

13 ¿Cómo organiza el texto el autor?
○ Cuenta un cuento de fantasía.
○ Describe las partes de una flor.
● Organiza los hechos en una secuencia.

Nombre __________ El ciclo de vida de un girasol

14 ¿Cuál de las siguientes es una inferencia que puedes hacer después de leer la selección?
○ No todas las frutas que comemos provienen de las flores.
○ A los insectos y a las aves no les gusta transportar el polen.
● Las plantas necesitan a los animales y al viento para transportar el polen.

15 Escribe una inferencia sobre las abejas basada en la selección. Vuelve a leer el texto y usa lo que lees y lo que ya sabes. Escribe tu respuesta en una hoja aparte.

Escritura: Escritura informativa

Piensa en una fruta que hayas visto. En una hoja aparte, haz un dibujo sobre cómo una flor se convierte en una fruta y rotúlalo. Usa hechos y detalles en tu escritura.

¿Cómo crecen las crías de los animales?

Nombre ______

Palabras de uso frecuente

Instrucciones: Escoge la palabra que mejor complete la oración.

1 En verano, cae mucha ______.
○ sol ● lluvia ○ noche

2 Las vacas viven en la ______.
● granja ○ cama ○ escuela

3 Yo ______ quiero ir al cine.
○ creo ○ ver ● también

4 Clara quiere ______ la nueva película.
● ver ○ ir ○ comer

5 En primavera, hace mucho ______.
○ frío ● calor ○ nieve

Nombre ______

¿Cómo crecen las crías de los animales?

Fonética

Instrucciones: Escucha cada oración y la pregunta que sigue. Escoge la respuesta correcta.

6 El ratón come queso.
¿Qué palabra tiene el mismo sonido /qu/ como en queso?
● quema ○ tema ○ cera

7 Mi papá hizo una maqueta.
¿Qué palabra tiene una sílaba con que como en maqueta?
○ canica ● quedo ○ kiosco

8 La niña espera el autobús en la esquina.
¿Qué palabra tiene una sílaba con qui como en esquina?
● chiquito ○ cocina ○ lámina

9 Hay una araña en el jardín.
¿Qué palabra tiene el mismo sonido /ñ/ como en araña?
○ mango ● rebaño ○ rebano

10 Hoy es mi cumpleaños.
¿Qué palabra tiene una sílaba con ñ como en cumpleaños?
● paño ○ unos ○ manos

Nombre ______

¿Cómo crecen las crías de los animales?

11 ¿Por qué el autor escribió "Las focas arpa"?
● Para informar al lector sobre las focas arpa.
○ Para convencer al lector de que le gusten las focas arpa.
○ Para entretener al lector con cuentos sobre las focas arpa.

12 ¿Qué quiere el autor que entiendas después de leer esta selección?
○ Cómo viven las focas arpa en el frío.
○ Cómo comen, beben y duermen las focas arpa.
● Cómo cambian a medida que crecen las focas arpa.

13 ¿Qué intenta enseñarte el autor en el párrafo 4?
● Qué tan grande es una foca arpa adulta.
○ Cómo se ve el pelaje de una foca arpa.
○ Cuándo deja a su madre la foca arpa.

¿Cómo crecen las crías de los animales?

Nombre ______

14 Lee esta oración de la selección.

¡Eso es casi el mismo peso que una motocicleta!

¿Por qué el autor incluye esta oración?
○ Para enseñar al lector sobre motocicletas.
● Para mostrar qué tan pesada puede ser la foca arpa.
○ Para explicar que tan rápido pueden nadar las focas arpa.

15 En una hoja aparte, escribe dos preguntas que le harías al autor.

Escritura: Escritura informativa

Piensa en un animal que conoces. En una hoja aparte, haz un dibujo del animal y escribe sobre cómo crece y cambia. Usa hechos y detalles en tu escritura.

Nombre______ Colección de poesía

Palabras de uso frecuente

Instrucciones: Escoge la palabra que mejor complete la oración.

1 En invierno, hace mucho ______.
○ calor ○ lluvia ● frío

2 Me encanta ______ en la cafetería.
○ saltar ● comer ○ dormir

3 Mi perro duerme ______ de su casa.
● dentro ○ encima ○ debajo

4 Tengo sueño, ya me voy a ______.
○ bañar ● dormir ○ comer

5 El aire ______ las hojas.
● mueve ○ come ○ bebe

Colección de poesía Nombre______

Fonética

Instrucciones: Escucha cada oración y la pregunta que sigue. Escoge la respuesta correcta.

6 Comimos merengue de postre.
¿Qué palabra tiene el mismo sonido de que que merengue?
● sigue ○ Gina ○ jamón

7 Mi tía trajo el guiso.
¿Qué palabra tiene el mismo sonido de gui que guiso?
○ jugar ● guinda ○ goma

8 Guarda todos los juguetes.
¿Qué palabra tiene una sílaba con gue como en juguetes?
● manguera ○ girasol ○ jalar

9 Yo tengo un gorro nuevo.
¿Qué palabra tiene el mismo sonido de /rr/ que gorro?
● carro ○ marzo ○ gordo

10 El saco es color marrón.
¿Qué palabra tiene un dígrafo rr como en marrón?
○ cartera ○ rama ● carrera

Colección de poesía Nombre______

11 ¿Cuáles son las dos palabras que riman en la primera parte del poema?
○ cantas, canción
○ que, llega
● canción, corazón

12 Escucha esta línea del poema.
Canario cantas
¿Cuántos tiempos hay en esta línea?
○ 2
● 5
○ 6

13 ¿Cuáles son las dos palabras que riman en la segunda parte del poema?
○ entonar, otro
● día, melodía
○ misma, melodía

Nombre______ Colección de poesía

14 Escucha esta línea del poema.
¿Podrás entonar
¿Cuántos tiempos hay en esta línea?
○ 3
○ 4
● 5

15 ¿Cómo sabes que esta selección es un poema? Escribe tu respuesta en una hoja aparte.

Escritura: Escritura informativa

Piensa en un animal que conoces. En una hoja aparte, haz un dibujo del animal. Luego, escribe un hecho sobre el animal. Encierra en un círculo una palabra de la oración que escribiste y escribe otra palabra que rime con ella.

Unos zapatos más grandes para la gran carrera

Nombre_______________

Palabras de uso frecuente

Instrucciones: Escoge la palabra que mejor complete la oración.

1 ¡Ellos ______ cuatro mascotas!
○ tuve ● tienen ○ tengo

2 Mi abuelo me ______ cinco canicas.
○ doy ○ dar ● dio

3 El ave tiene unas alas muy ______.
● grandes ○ ricas ○ bajas

4 El niño ______ cinco patos en el estanque.
● ve ○ vi ○ vieron

5 Mamá dice que ______ vamos a ir a la playa.
● hoy ○ ayer ○ tengo

Nombre_______________

Unos zapatos más grandes para la gran carrera

Fonética

Instrucciones: Escucha cada oración y la pregunta que sigue. Escoge la respuesta correcta.

6 El sándwich es de <u>jamón</u>.
¿Qué palabra tiene el mismo sonido que la j en <u>jamón</u>?
● jarra ○ garra ○ tarro

7 El <u>cajón</u> es de madera.
¿Qué palabra tiene una sílaba con j como en <u>cajón</u>?
○ guante ● debajo ○ guitarra

8 El <u>avestruz</u> vive en el zoológico.
¿Qué palabra tiene el mismo sonido que la v en <u>avestruz</u>?
○ adiestrar ● avaro ○ dormir

9 El <u>vestido</u> de mi hermana es rojo.
¿Qué palabra tiene una sílaba con v como en <u>vestido</u>?
○ bomba ● venir ○ dulce

10 Las tortugas <u>viven</u> muchos años.
¿Qué palabra comienza con una sílaba con v como en <u>viven</u>?
○ dolor ○ nube ● tuvo

Nombre_______________

Unos zapatos más grandes para la gran carrera

11 ¿Cuál es el ambiente de la obra?
○ La casa de Luz
○ El consultorio del dentista
● El apartamento de la tía Teresa

12 ¿Quiénes son los personajes de la obra?
● Luz y la tía Teresa
○ Luz y las amigas de Luz
○ Luz, la mamá de Luz y la tía Teresa

13 ¿Cuál de los siguientes es un ejemplo de un diálogo en la obra?
○ *Luz está en la sala.*
○ *La tía Teresa sonríe.*
● *¿Tú también tuviste dientes de leche?*

Unos zapatos más grandes para la gran carrera

Nombre_______________

14 Escucha estas líneas de la obra.

> **LUZ:** *¡Eso debe haber sido hace mucho tiempo!*
>
> (*La* TÍA TERESA *sonríe*).
>
> **TÍA TERESA:** *Ahora tengo dientes permanentes. El diente que te va a salir es parte del crecimiento.*

¿A qué conclusión puedes llegar sobre la tía Teresa a partir de estas líneas?
● La tía Teresa está feliz.
○ La tía Teresa está enojada.
○ La tía Teresa está confundida.

15 ¿Qué inferencia puedes hacer sobre cómo se siente Luz cuando se le cae el diente? Escribe tu respuesta en una hoja aparte.

Escritura: Escritura informativa

Piensa en una forma en que las personas crecen y cambian. En una hoja aparte, haz un dibujo y escribe sobre este cambio. Usa hechos y detalles en tu escritura.

Nombre________________ La hormiga y el saltamontes

Palabras de uso frecuente

Instrucciones: Escoge la palabra que mejor complete la oración.

1 ______ mucha gente en el partido.
● Había ○ Decía ○ Sabía

2 Mi hermanito ______ otra rebanada de pastel.
○ quieres ● quería ○ quiero

3 Ser el pateador de mi equipo es un ______ honor.
○ poco ● gran ○ mucho

4 El Sr. Lora es mi ______.
○ abuela ○ maestra ● maestro

5 Mis primos ______ que mi equipo iba a perder.
● decían ○ digo ○ dices

La hormiga y el saltamontes Nombre________________

Fonética

Instrucciones: Lee cada oración y la pregunta que sigue. Escoge la respuesta correcta.

6 La abeja zumba muy fuerte.
¿Qué palabra comienza con el mismo sonido de z que zumba?
● zumo ○ humo ○ calcio

7 Comemos pasteles en platos de loza.
¿Qué palabra tiene una sílaba con za como loza?
○ aguacate ● cabeza ○ hacer

8 Esta playa tiene arena blanca.
¿Qué palabra tiene una r suave como arena?
○ yegua ○ avena ● pera

9 El venado camina por la vereda.
¿Qué palabra tiene el mismo sonido de re que vereda?
○ ramas ● parece ○ cantar

10 Mi perico se llama Pancho.
¿Qué palabra tiene una sílaba que empieza con r como en perico?
● esfera ○ corto ○ niños

La hormiga y el saltamontes Nombre________________

11 ¿Qué ocurre al comienzo del cuento?
○ La nieve comienza a caer.
○ El pájaro comparte su comida con el ratón.
● El pájaro está juntando comida para el invierno.

12 ¿Cuál es el problema del ratón?
● El ratón no consigue comida.
○ Al ratón no le gusta el invierno.
○ El ratón no quiere jugar con el pájaro.

13 ¿Cómo ayuda el pájaro a resolver el problema del ratón?
○ El pájaro corre y juega con el ratón.
○ El pájaro mantiene caliente al ratón.
● El pájaro comparte su comida con el ratón.

14 ¿Por qué el ratón dice: *"El próximo invierno, buscaré comida con tiempo"*.
○ Llegó el invierno.
○ La nieve cubre el bosque.
● El ratón perdió el tiempo jugando.

Nombre________________ La hormiga y el saltamontes

15 ¿Cuál es la resolución de "El pájaro y el ratón"? Escribe tu respuesta en una hoja aparte.

Escritura: Poesía

Piensa en una estación del año que te guste. En una hoja aparte, haz una lista de tres palabras que describan esa estación. Junto a cada palabra, escribe otra palabra que rime con ella.

El mono tramposo Nombre ____________

Palabras de uso frecuente

Instrucciones: Escoge la palabra que mejor complete la oración.

1 ¿Te gusta ______ el jugo?
● así ○ ahí ○ nunca

2 Yo prefiero usar ______ pantalones en invierno.
○ aquel ○ ellos ● estos

3 La escuela está ______ mi casa y el parque.
● entre ○ en ○ antes

4 Claudia aprendió a ______ la hora.
○ dijo ● decir ○ dice

5 ¿______ vendrás a jugar a mi casa?
○ Qué ○ Dónde ● Cuándo

Nombre ____________ El mono tramposo

Fonética

Instrucciones: Lee cada oración y la pregunta que sigue. Escoge la respuesta correcta.

6 La yema de huevo es amarilla.
¿Qué palabra tiene el mismo sonido /y/ que yema?
○ iguana ○ hilo ● yoyo

7 Ayer fuimos al cine.
¿Qué palabra tiene una sílaba que empieza con y como ayer?
● ayuda ○ caray ○ hoy

8 Mi helado se derritió.
¿Qué palabra comienza con el mismo sonido de vocal que helado?
● hechizo ○ higo ○ hagan

9 El halcón tiene un nido.
¿Qué palabra tiene una sílaba con h como halcón?
○ arroyo ● habichuela ○ incompleto

10 El gatito juega con los hilos.
¿Qué palabra tiene una sílaba con el sonido /hi/ como en hilos?
○ dice ○ mimo ● hice

Nombre ____________ El mono tramposo

11 ¿Por qué el autor escribió esta selección?
● Para contar un cuento entretenido sobre un conejo.
○ Para convencer a las personas de comprar un conejo.
○ Para informar a las personas sobre diferentes tipos de conejos.

12 ¿Por qué el conejo usa una cuerda en el cuento?
○ Para que las serpientes puedan cruzar el río.
○ Para enseñar a las serpientes a hacer un nudo.
● Para hacer que las serpientes piensen que él quiere jugar a estira y afloja.

13 ¿Por qué el autor incluye dos serpientes en la selección?
○ Para enseñarle al conejo a hacer un truco.
○ Para que el conejo tenga una razón para enojarse.
● Para tener personajes que el conejo pueda engañar.

14 Lee esta oración de la selección:

> *"Sé que puedo vencerte en un juego de tira y afloja".*

¿Por qué el autor hace que el conejo diga esto?
○ Para que la serpiente tenga miedo.
● Para que la serpiente quiera unirse al juego.
○ Para ayudar al lector a saber qué es tira y afloja.

El mono tramposo Nombre ____________

15 ¿Cómo sabes cuál es el propósito del autor para esta selección? Escribe tu respuesta en una hoja aparte.

Escritura: Poesía

Piensa en algo divertido que haces al aire libre. En una hoja aparte, haz una lista de al menos tres palabras de los sentidos que cuenten acerca de esta actividad divertida. Luego, escribe un poema corto usando una de estas palabras. Recuerda que las palabras de los sentidos describen cómo se ven, huelen, suenan, se sienten y saben las cosas.

Nombre________________ Colección de poesía

Palabras de uso frecuente

Instrucciones: Escoge la palabra que mejor complete la oración.

1 Mi perro se puso muy ______ cuando vio su juguete nuevo.
- ○ gordo ● feliz ○ triste

2 Carlos toma el autobús para ir a la ______.
- ● escuela ○ mar ○ cocina

3 Tuve mucha ______ y anoté tres goles.
- ● suerte ○ sueño ○ hambre

4 Hoy iremos al parque ______ de la escuela.
- ○ último ● después ○ primero

5 Me gusta ______ un cuento todas las noches.
- ○ tomar ○ comer ● leer

Colección de poesía Nombre________________

Fonética

Instrucciones: Lee cada oración y la pregunta que sigue. Escoge la respuesta correcta.

6 Las mallas de mi hermana son rojas.
¿Qué palabra tiene una sílaba con el sonido /ll/ como en mallas?
- ● armadillo ○ lámpara ○ malas

7 El camello es un animal muy alto.
¿Qué palabra tiene el dígrafo ll como en camello?
- ○ limón ○ yegua ● caudillo

8 La ballena azul es muy grande.
¿Qué palabra tiene una sílaba que comienza con ll como en ballena?
- ○ cilantro ● cepillo ○ alimento

9 Mi primo tiene doce años.
¿Qué palabra tiene una sílaba con ce como en doce?
- ○ sello ● mecer ○ circo

10 Mi papá me llevó al cine.
¿Qué palabra tiene una sílaba con ci como en cine?
- ○ siempre ○ zinc ● vecino

Colección de poesía Nombre________________

11 ¿Qué palabra usa el autor en la línea 12 para rimar con nieve?
- ○ *alto*
- ● *atreve*
- ○ *concurso*

12 ¿Qué palabras se repiten en el poema?
- ● *muy alto*
- ○ *viento frío*
- ○ *bolas de nieve*

13 ¿Cuál es un ejemplo de aliteración en el poema?
- ● *raudos y risueños*
- ○ *batallas tendremos*
- ○ *Con bolas de nieve*

14 ¿Qué palabras riman en la primera estrofa?
- ○ *frío/nieve*
- ● *frío/desafío*
- ○ *nieve/parque*

Nombre________________ Colección de poesía

15 ¿Por qué el narrador repite las palabras "muy alto" dos veces en la línea 11? Escribe tu respuesta en una hoja aparte.

Escritura: Poesía

En "Bolas de nieve", el autor se divierte en invierno. Piensa en lo que te gusta hacer para divertirte. En una hoja aparte, escribe una lista de tres palabras de sonido sobre tu actividad divertida. Usa algunas o todas estas palabras para escribir un poema de cuatro líneas.

UNIDAD 3, SEMANA 4 UNIT 3, WEEK 4

La vaca y el tigre Nombre____________________

Palabras de uso frecuente

Instrucciones: Escoge la palabra que mejor complete la oración.

1 Mi hermana _______ a jugar con su amiga.
- ○ salir ● salió ○ salgo

2 Voy a _______ mis juguetes.
- ● traer ○ traeré ○ traen

3 No tuve _______ de ver la televisión.
- ○ minuto ● tiempo ○ hora

4 Ese _______ se parece a mi papá.
- ○ mamá ● hombre ○ mujer

5 Mi mamá _______ al mercado.
- ● fue ○ fuimos ○ fui

Nombre____________________ La vaca y el tigre

Fonética

Instrucciones: Lee cada oración y la pregunta que sigue. Escoge la respuesta correcta.

6 El canguro brinca muy alto.
¿Qué palabra tiene el mismo sonido de consonantes /br/ que brinca?
- ○ bobina ● broma ○ biblioteca

7 El broche de mi abuela es muy antiguo.
¿Qué palabra tiene una sílaba con br como en broche?
- ● abrir ○ abogado ○ maraca

8 La cabra trepó el monte.
¿Qué palabra es el plural de cabra?
- ○ cabraes ○ cabraz ● cabras

9 La actriz ganó un premio.
¿Qué palabra es el plural de actriz?
- ● actrices ○ actris ○ actric

10 Vimos un coral en el mar.
¿Qué palabra es el plural de coral?
- ○ coralz ● corales ○ corals

Nombre____________________ La vaca y el tigre

11 ¿Qué encuentra el perro al inicio de la selección?
- ● Algo para comer
- ○ Un lugar para dormir
- ○ Algo de lo que escapar

12 ¿Dónde tira el hueso el perro?
- ● En el estanque
- ○ Sobre una roca
- ○ Cerca de un árbol

13 ¿Por qué el perro no puede recuperar el hueso?
- ○ Ya se lo había comido.
- ● El hueso estaba en el agua.
- ○ Otro perro se llevó el hueso.

14 ¿Qué oración muestra el problema del perro en el cuento?
- ○ *El perro caminó por un estanque.*
- ○ *Miró hacia el agua y vio un perro.*
- ● *El perro que vio en el estanque era su propio reflejo.*

La vaca y el tigre Nombre____________________

15 Describe el ambiente del cuento. Escribe tu respuesta en una hoja aparte.

Escritura: Poesía

El perro del cuento pierde su hueso. Escribe cuatro líneas de poesía sobre una persona o un animal que pierde algo. Usa dos palabras que rimen en tu poema.

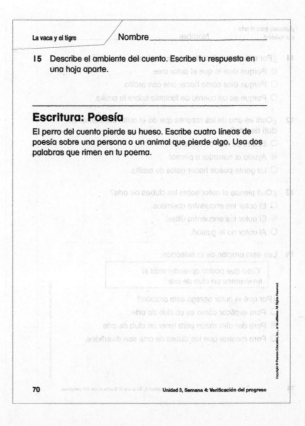

Nombre ____________ ¡Aplausos para el arte y la música!

Palabras de uso frecuente

Instrucciones: Escoge la palabra que mejor complete la oración.

1 El examen tenía muchas ______.
- ○ exámenes ● preguntas ○ problemas

2 Mi hermanito va a ir a la escuela por primera ______.
- ○ hora ○ día ● vez

3 Ya hice la tarea, ______ voy a jugar.
- ● ahora ○ antes ○ no

4 Los dos pájaros son del mismo ______.
- ○ olor ● color ○ sabor

5 Voy a ______ la puerta.
- ● tocar ○ brincar ○ ver

¡Aplausos para el arte y la música! Nombre ____________

Fonética

Instrucciones: Lee cada oración y la pregunta que sigue. Escoge la respuesta correcta.

6 El examen fue difícil.
¿Qué palabra tiene el mismo sonido de /x/ que examen?
- ○ leño ● anexo ○ madeja

7 Mi familia vive en un departamento dúplex.
¿Qué palabra termina con el mismo sonido de x que dúplex?
- ○ bistec ○ kayak ● tórax

8 Mi instrumento musical favorito es el xilófono.
¿Qué palabra tiene una sílaba con x como en xilófono?
- ● asfixia ○ reducción ○ misión

9 Mi mejor amiga se llama Wendy.
¿Qué palabra tiene el mismo sonido de w que Wendy?
- ● wéstern ○ hijos ○ gris

10 Ese sitio web es mi favorito.
¿Qué palabra contiene la letra w como en web?
- ○ guayaba ● show ○ hielo

¡Aplausos para el arte y la música! Nombre ____________

11 ¿Por qué esta selección es persuasiva?
- ● Porque dice lo que el autor cree.
- ○ Porque dice cómo hacer arte con arcilla.
- ○ Porque es un cuento de fantasía sobre la arcilla.

12 ¿Cuál es una de las razones que da el autor para tener un club de arte?
- ○ El arte es fácil de hacer.
- ● Ayuda al narrador a pensar.
- ○ La gente puede hacer gatos de arcilla.

13 ¿Qué piensa el autor sobre los clubes de arte?
- ○ El autor los encuentra aburridos.
- ● El autor los encuentra útiles.
- ○ Al autor no le gustan.

14 Lee esta oración de la selección.

> *"Creo que podría aprender más si tuviéramos un club de arte".*

¿Por qué el autor agregó esta oración?
- ○ Para explicar cómo es un club de arte.
- ● Para dar otra razón para tener un club de arte.
- ○ Para mostrar que los clubes de arte son divertidos.

Nombre ____________ ¡Aplausos para el arte y la música!

15 ¿Qué quiere el autor que las personas piensen o hagan después de leer "El arte me ayuda a pensar"? Escribe tu respuesta en una hoja aparte.

Escritura: Poesía

El autor de "El arte me ayuda a pensar" explica cómo crear arte le ayuda a pensar mejor. ¿Qué es algo que te ayuda a pensar mejor? En una hoja aparte, escribe cuatro líneas de poesía sobre algo que te ayuda a pensar mejor.

A través de los ojos de Georgia   Nombre________________

Palabras de uso frecuente

Instrucciones: Escoge la palabra que mejor complete la oración.

1 Mi abuelo me contó la ______ de mi familia.
○ cuento ● historia ○ canción

2 Mi papá llegó temprano de su ______.
○ cocina ○ carro ● trabajo

3 ¿______ está mi mochila?
● Dónde ○ Quién ○ Cuándo

4 Mamá trajo muchas ______ del mercado.
● cosas ○ gatos ○ libros

5 Puedo quedarme ______ las 2:00 *p. m.*
○ hoy ● hasta ○ poco

Nombre________________   A través de los ojos de Georgia

Fonética

Instrucciones: Lee cada oración y la pregunta que sigue. Escoge la respuesta correcta.

6 El perro ladra cuando ve al cartero.
¿Qué palabra tiene la combinación de consonantes dr como en ladra?
● almendra ○ adorno ○ lodo

7 La niña visitó la catedral.
¿Qué palabra contiene la sílaba dra como catedral?
○ dormir ○ edad ● cuadra

8 Los niños subieron a la montaña rusa y gritaron mucho.
¿Qué palabra comienza con el mismo sonido /gr/ que gritaron?
○ jirafa ○ gemelo ● gratis

9 El clima es agradable.
¿Qué palabra contiene la sílaba gra como agradable?
● negra ○ girasol ○ ranura

10 La maestra nos agrupó por edades.
¿Qué palabra contiene la sílaba gru como agrupó?
○ grave ● gruñir ○ gemido

Nombre________________   A través de los ojos de Georgia

11 ¿Por qué Maya Angelou escribió libros y poemas?
○ Quería salir en televisión.
○ Quería leerle al presidente.
● Quería ayudar a las personas.

12 ¿Cómo le ayudó su vida a escribir libros y poesía?
○ Escribió sobre amigos falsos.
○ Escribió sobre su amor por los animales.
● Escribió sobre las cosas que le sucedieron.

13 ¿Qué hizo Maya Angelou en Nueva York?
● Ella actúo en obras.
○ Ella conoció al presidente.
○ Ella ganó un premio especial.

A través de los ojos de Georgia   Nombre________________

14 ¿Por qué era especial el poema que Maya Angelou leyó para el presidente?
● El poema ganó un premio.
○ El poema apareció en un libro.
○ El poema apareció en una película.

15 Escribe sobre dos cosas que Maya Angelou hizo durante su vida. Usa ejemplos de la selección en tu escritura. Escribe tu respuesta en una hoja aparte.

Escritura: Narración

Piensa en algo especial que te haya sucedido. ¿Cómo lo describirías? En una hoja aparte, escribe sobre ese momento especial.

Nombre________ Jackie Robinson

Palabras de uso frecuente

Instrucciones: Escoge la palabra que mejor complete la oración.

1 Mi _______ es Luis Mata.
- ○ edad ● nombre ○ estatura

2 ¡Ese _______ es muy complicado!
- ● juego ○ ardilla ○ sándwich

3 Mi prima y yo tenemos el _______ apellido.
- ○ parecido ○ igual ● mismo

4 El bebé llora _______ vez que ve al payaso.
- ● cada ○ todo ○ algún

5 Mi mamá nos enseñó a _______ las botellas.
- ● reciclar ○ comer ○ venir

Jackie Robinson Nombre________

Fonética

Instrucciones: Lee cada oración y la pregunta que sigue. Escoge la respuesta correcta.

6 Hay un tractor en la granja.
¿Qué palabra tiene una combinación de consonantes tr como en tractor?
- ● atrás ○ foto ○ tirantes

7 El caballo trota.
¿Qué palabra comienza con el sonido /tro/ como en trota?
- ○ triángulo ● tronco ○ trata

8 Ayer cenamos frijoles.
¿Qué palabra contiene el sonido /fr/ como en frijoles?
- ● francés ○ filo ○ fábula

9 El cofre es dorado.
¿Qué palabra tiene una sílaba con fre como en cofre?
- ● azufre ○ felpa ○ delfín

10 La manzana es una fruta.
¿Qué palabra tiene una sílaba con fru como en fruta?
- ○ filo ● fruncir ○ frágil

Jackie Robinson Nombre________

11 ¿Qué hizo la Madre Teresa antes de ir a la India?
- ○ Aprendió a enseñar.
- ● Aprendió a hablar inglés.
- ○ Aprendió a cuidar a las personas enfermas.

12 ¿Qué hizo la Madre Teresa cuando llegó a la India?
- ○ Fue a un hospital.
- ● Abrió una escuela.
- ○ Se convirtió en médico.

13 ¿Qué hizo la madre Teresa después de que comenzó a ayudar a las personas enfermas?
- ○ Viajó a otro país.
- ○ Decidió abrir otra escuela.
- ● Trabajó con médicos y enfermeras.

Nombre________ Jackie Robinson

14 Después de que la Madre Teresa abrió una escuela, ella
- ○ fue a la India.
- ○ aprendió a hablar inglés.
- ● enseñó allí por muchos años.

15 Escribe sobre dos cosas que hizo la Madre Teresa para ayudar a las personas después de que llegó a la India. Escribe tu respuesta en una hoja aparte.

Escritura: Narración

Piensa en algún lugar que hayas visitado que sea muy diferente de tu hogar. ¿Cómo describirías el ambiente? ¿Cómo se veía? ¿Cuándo fuiste? En una hoja aparte, escribe sobre el ambiente del lugar que visitaste.

Antes de la llegada del ferrocarril

Nombre______________

Palabras de uso frecuente

Instrucciones: Escoge la palabra que mejor complete la oración.

1 El vecino compró un carro _______.
○ flaco ○ plano ● nuevo

2 El águila _______ muy alto.
○ vuelas ○ volarán ● vuela

3 El _______ es azul.
○ sol ● cielo ○ nubes

4 Hay un _______ en el cielo.
● aeroplano ○ barco ○ bicicleta

5 Mi tía vive en un _______ cercano.
● pueblo ○ avión ○ mercado

Nombre______________

Antes de la llegada del ferrocarril

Fonética

Instrucciones: Escoge la palabra que mejor complete la oración.

6 Hay mucha _______ en la carretera.
○ nieba ○ nievla ● niebla

7 La cáscara de la _______ es _______.
○ vlanta, vlanda ● planta, blanda ○ blanta, planda

8 Los _______ son amarillos.
○ blátanos ○ prátanos ● plátanos

Instrucciones: Lee cada oración y la pregunta que sigue. Escoge la respuesta correcta.

9 Mi amigo compró un <u>pliego</u> de papel.
¿Qué palabra tiene el mismo sonido /pl/ que <u>pliego</u>?
○ pantera ● plumón ○ pelear

10 La <u>blusa</u> es rosada.
¿Qué palabra tiene el mismo sonido /bl/ que <u>blusa</u>?
● bloque ○ barniz ○ betún

Nombre______________

Antes de la llegada del ferrocarril

11 ¿Sobre qué trata el cuento?
● Clara ayuda a su papá.
○ Aprender a trepar árboles.
○ Cómo es vivir cerca de un bosque.

12 ¿Por qué fue útil usar la cuerda?
○ Era larga y resistente.
● La usaron para subir y bajar la canasta.
○ Ayudó a la mamá de Clara a trepar el árbol.

13 ¿Qué pasó después de que Clara y su mamá soltaron la cuerda lentamente?
○ La canasta subió hacia su papá.
○ Los plátanos llenaron la canasta.
● La canasta y los plátanos bajaron.

Antes de la llegada del ferrocarril

Nombre______________

14 El tema del cuento es que
● trabajar juntos facilita el trabajo.
○ hay demasiados plátanos que recoger.
○ Clara y su papá deben usar más canastas.

15 Escribe una oración sobre cómo Clara ayudó a su papá. Escribe tu respuesta en una hoja aparte.

Escritura: Narración

Piensa en algo que hiciste por tu cuenta. En una hoja aparte, escribe sobre lo que hiciste. Usa palabras como *primero*, *luego* y *después* para decir lo que hiciste.

¿Cuál es la historia de nuestra bandera?/La primera bandera estadounidense

Nombre________________

Palabras de uso frecuente

Instrucciones: Escoge la palabra que mejor complete la oración.

1 ¡Están tocando mi ______ favorita!
● canción ○ reloj ○ color

2 ______ escuela está en la esquina.
○ Nueva ● Nuestra ○ Nos

3 Todos somos parte de la ______.
○ socio ● sociedad ○ social

4 Ella visitó el centro de la ______.
● ciudad ○ pueblo ○ país

5 Ayer le ______ a mi abuelita que vive en California.
○ escribo ○ escribió ● escribí

¿Cuál es la historia de nuestra bandera?/La primera bandera estadounidense

Nombre________________

Fonética

Instrucciones: Lee cada oración y la pregunta que sigue. Escoge la respuesta correcta.

6 La niñera carga al bebé con mucho cuidado.
¿Qué palabra contiene un diptongo *ui* como en cuidado?
● huir ○ decir ○ reunir

7 Todos los días escribo en mi diario.
¿Qué palabra termina con el diptongo *io* como en diario?
○ dibujo ● imperio ○ marino

8 El hielo se derritió.
¿Qué palabra contiene el sonido /ie/ como en hielo?
● nadie ○ hervir ○ yeso

9 Mi papá rompió el vidrio accidentalmente.
¿Qué palabra contiene la terminación *-mente* como en accidentalmente?
○ mentiroso ● rápidamente ○ afortunado

10 Seguramente mañana no habrá clases.
¿Qué palabra contiene la terminación *-mente* como en seguramente?
● bruscamente ○ mentol ○ seguridad

¿Cuál es la historia de nuestra bandera?/La primera bandera estadounidense

Nombre________________

11 ¿En qué se parecen las dos selecciones?
● Las dos tratan sobre aviones.
○ Las dos ocurren en el mismo año.
○ Las dos muestran cómo pilotar un avión.

12 ¿Qué es diferente sobre la primera selección?
○ Trata sobre pilotar aviones.
○ Trata sobre dos hermanos.
● Trata sobre una mujer que pilota aviones.

13 ¿Qué hicieron los hermanos Wright que Bessie Coleman no hizo?
○ Los hermanos Wright asistieron a escuelas de vuelo.
● Los hermanos Wright construyeron su propio avión.
○ Los hermanos Wright pilotaron aviones en Francia.

Nombre________________

¿Cuál es la historia de nuestra bandera?/La primera bandera estadounidense

14 Los hermanos Wright estudiaron a las aves porque querían
○ mostrar a la escuela de vuelo cómo pilotar aviones.
● aprender cómo las alas de los pájaros los ayudan a volar.
○ explicarle a las personas cómo pueden pilotar aviones los pilotos.

15 Escribe sobre una manera en que las historias se parecen y una manera en que se diferencian. Escribe tu respuesta en una hoja aparte.

Escritura: Narración

Bessie Coleman y los hermanos Wright hicieron cosas difíciles. Piensa en alguna ocasión en la que hiciste algo difícil. En una hoja aparte, escribe sobre lo que hiciste.

UNIDAD 4, SEMANA 5 UNIT 4, WEEK 5

Eleanor Roosevelt

Nombre ____________

Palabras de uso frecuente

Instrucciones: Escoge la palabra que mejor complete la oración.

1 Mi hermana ______ tiene 1 año.
- ○ enorme ● pequeña ○ pequeño

2 Tu ______ me prestó su muñeca.
- ● hermana ○ papá ○ tortuga

3 Puedo ver el mar ______ aquí.
- ○ para ○ allí ● desde

4 Esa ______ es mi niñera.
- ○ niño ● muchacha ○ hombre

5 El reloj ______ ya no sirve.
- ● antiguo ○ bajo ○ vieja

Nombre ____________ Eleanor Roosevelt

Fonética

Instrucciones: Lee cada oración y la pregunta que sigue. Escoge la respuesta correcta.

6 Yo llevé a la playa mi nuevo salvavidas.
¿Qué palabra es una palabra compuesta como salvavidas?
- ● malhumor ○ porque ○ caramelo

7 Mi mamá siempre usa un quitamanchas.
¿Qué palabra es una palabra compuesta como quitamanchas?
- ● abrelatas ○ medicina ○ carrito

8 El perro del vecino es amistoso.
¿Qué palabra tiene el sufijo oso como en amistoso?
- ● esponjoso ○ rosado ○ torso

9 El monumento es asombroso.
¿Qué palabra tiene el sufijo oso como en asombroso?
- ● caprichoso ○ zarpazo ○ traspaso

10 Esa película es espantosa.
¿Qué palabra tiene el sufijo osa como en espantosa?
- ○ petirrojo ● mentirosa ○ bellota

Nombre ____________ Eleanor Roosevelt

11 ¿De qué trata principalmente esta historia?
- ○ La vida temprana de César Chávez.
- ○ Cómo trabajó César Chávez en las granjas.
- ● Cómo ayudó César Chávez a los campesinos.

12 ¿Cómo sabía César Chávez que los campesinos eran maltratados?
- ○ Su familia trabajaba en granjas.
- ○ Aprendió sobre los campesinos en la escuela.
- ● Vivía cerca de una granja y observaba a los campesinos.

13 ¿Qué hizo César Chávez para ayudar a los campesinos?
- ○ Trabajó en una granja.
- ○ Les dio clases a los campesinos.
- ● Pidió a las personas que marcharan en señal de protesta.

Eleanor Roosevelt Nombre ____________

14 ¿Qué oración muestra una manera en que algunos campesinos eran maltratados?
- ● *Los campesinos no ganaban mucho dinero.*
- ○ *Esto mostraba cuánto les importaba el problema.*
- ○ *Algunos incluso dejaron de consumir alimentos de las granjas.*

15 Escribe sobre una manera en que César Chávez ayudó a los campesinos. Escribe tu respuesta en una hoja aparte.

Escritura: Narración

Piensa en alguien a quien admiras. ¿Por qué admiras a esa persona? En una hoja aparte, escribe sobre por qué admiras a esa persona.

Nombre ____________ Cada estación

Palabras de uso frecuente

Instrucciones: Escoge la palabra que mejor complete la oración.

1 Los copos de nieve ______ en invierno.
○ llueven ● caen ○ suben

2 El ______ sopla fuerte.
● viento ○ sol ○ nubes

3 Tito dijo que ______ vendrá a jugar mañana.
○ por qué ○ cuando ● tal vez

4 Mamá dice que ______ seré tan alta como mi hermana.
○ ayer ● pronto ○ a veces

5 Las nubes son ______.
○ verdes ● blancas ○ rojas

Cada estación Nombre ____________

Fonética

Instrucciones: Lee cada oración y la pregunta que sigue. Escoge la respuesta correcta.

6 Marcos siempre se ve muy <u>arreglado</u>.
¿Qué palabra contiene una combinación de consonantes <u>gl</u> como <u>arreglado</u>?
○ garganta ○ grupo ● gladiador

7 Tenemos una nueva <u>regla</u> en nuestra clase.
¿Qué palabra tiene una sílaba que comienza con el sonido /gl/ como en <u>regla</u>?
○ agente ● iglesia ○ girafa

8 El pintor está <u>pintando</u> la casa.
¿Qué palabra contiene el sufijo <u>–ando</u> como en <u>pintando</u>?
● llamando ○ llamado ○ llamaba

9 Amanda está <u>barriendo</u> la calle.
¿Qué palabra contiene el sufijo <u>–iendo</u> como en <u>barriendo</u>?
○ movido ● moviendo ○ movería

10 Mi hermana siempre está <u>hablando</u> por teléfono.
¿Qué palabra termina en el sufijo <u>–ando</u> como en <u>hablando</u>?
○ robado ○ rodado ● rodando

Nombre ____________ Cada estación

Comprensión de lectura

Instrucciones: Lee la selección y responde a las preguntas.

El otoño

1 Cada septiembre, las hojas de los árboles comienzan a cambiar porque llega el otoño. Estas son algunas cosas que puedes hacer en el otoño.

Recoger manzanas

2 El otoño es un buen momento para recoger manzanas. Hay muchos tipos para escoger. Hay manzanas verdes y manzanas rojas. Puedes comerlas como un refrigerio saludable.

Ver los colores

3 En el otoño las hojas cambian de color. Es divertido ir a caminar para ver los colores de las hojas. Los diferentes árboles se vuelven de diferentes colores. Algunas personas incluso recolectan las hojas que caen al suelo.

Saltar las hojas

4 Cuando veas que hay muchas hojas en el suelo, trata de saltarlas. Tú y tus amigos pueden rastrillar las hojas y ponerlas en una enorme pila. Asegúrate de que no haya nada peligroso en la pila, como palos o piedras y entonces, ¡salten!

Cada estación Nombre ____________

11 ¿Qué describe principalmente esta selección?
○ La mejor manera de saltar las hojas en el otoño.
○ Cómo recoger las mejores manzanas en el otoño.
● Las actividades que las personas pueden hacer en el otoño.

12 La sección llamada "Recoger manzanas" describe
● los diferentes colores de las manzanas.
○ los diferentes lugares donde puedes encontrar manzanas.
○ por qué el otoño es un buen momento para recoger manzanas.

13 En el texto, ¿qué sucede cuando llega el otoño?
○ El clima se vuelve mucho más cálido.
○ Las personas se quedan en sus casas.
● Las hojas se vuelven de diferentes colores.

UNIDAD 5, SEMANA 2 UNIT 5, WEEK 2

Las estaciones en todo el mundo

Nombre ____________________

Palabras de uso frecuente

Instrucciones: Escoge la palabra que mejor complete la oración.

1 En la primavera, las hojas de los árboles son de color ______.

○ azul ● verde ○ negro

2 Yo quería comprar un helado, ______ no me alcanzó el dinero.

● pero ○ como ○ porque

3 ¡Claudia se puso la blusa ______!

○ afuera ○ de revés ● al revés

4 Mi familia y yo comeremos ______.

○ lejos ○ ayer ● fuera

5 Hoy tengo que ______ muchas tareas domésticas.

○ tratar ● hacer ○ poner

Nombre ____________________ Las estaciones en todo el mundo

Fonética

Instrucciones: Lee cada oración y la pregunta que sigue. Escoge la respuesta correcta.

6 El flan es mi postre favorito.

¿Qué palabra tiene la misma combinación de consonantes fl que flan?

○ faro ○ fama ● flama

7 El carro tiene una llanta desinflada.

¿Qué palabra tiene una sílaba que comienza con fl como en desinflada?

○ farmacia ● conflicto ○ afrontar

8 Ayer fui a jugar al parque y hoy estoy cansado.

¿Qué palabra tiene el sufijo -ado como en cansado?

● parado ○ parando ○ asadero

9 La tienda está cerrada.

¿Qué palabra tiene el sufijo -ada como en cerrada?

○ barba ● mojada ○ cerrando

10 La nueva película es muy aburrida.

¿Qué palabra tiene el sufijo -ida como en aburrida?

○ atrevido ○ morada ● atrevida

Nombre ____________________ Las estaciones en todo el mundo

11 ¿Qué le indican al lector los rótulos que están debajo de las ilustraciones?

○ El lugar que muestran las ilustraciones.

● Las estaciones que muestran las ilustraciones.

○ El nombre de la niña que aparece en las ilustraciones.

12 ¿Qué oración de la selección se muestra en las ilustraciones?

○ *Se llama el ecuador.*

● *La estación seca recibe mucho sol.*

○ *Las hojas no cambian de color ni se caen de los árboles.*

13 ¿Por qué el autor incluyó las ilustraciones?

○ Para mostrar las cuatro estaciones.

● Para mostrar cómo es vivir con dos estaciones.

○ Para mostrar que el ambiente está seco durante todo el año.

Las estaciones en todo el mundo

Nombre ____________________

14 Según lo que muestran las ilustraciones, ¿a qué conclusión puede llegar el lector sobre vivir en un lugar con dos estaciones?

○ La estación húmeda es la más corta.

● La estación húmeda es más larga que la estación seca.

○ Las estaciones seca y húmeda duran aproximadamente lo mismo.

15 En una hoja aparte, escribe sobre algo que las personas podrían hacer en un lugar con solo dos estaciones.

Escritura: Libro sobre cómo hacer algo

¿Cuál es tu estación favorita? En una hoja aparte, escribe instrucciones simples para un juego que te guste jugar durante tu estación favorita.

Nombre______________ En primavera

Palabras de uso frecuente

Instrucciones: Escoge la palabra que mejor complete la oración.

1 Mi ______ favorita es el verano.
- ○ hora
- ● estación
- ○ vacación

2 Hoy es martes, mañana será ______.
- ● miércoles
- ○ jueves
- ○ domingo

3 A la camisa le falta un ______.
- ● botón
- ○ bolsón
- ○ abrigo

4 Hoy es domingo, ayer fue ______.
- ○ lunes
- ○ martes
- ● sábado

5 El padre de mi mamá es mi ______.
- ○ primo
- ● abuelo
- ○ hermano

En primavera Nombre______________

Fonética

Instrucciones: Lee cada oración y la pregunta que sigue. Escoge la respuesta correcta.

6 La multitud aclamó al equipo de futbol.
¿Qué palabra contiene una combinación de consonantes cl como en aclamó?
- ○ calmar
- ○ maleta
- ● bicicleta

7 Susana llegó tarde a la clase de química.
¿Qué palabra comienza con el mismo sonido /cl/ que clase?
- ○ casa
- ● clima
- ○ cima

8 María perdió su compás.
¿Qué palabra tiene el acento escrito en la sílaba tónica correcta como en compás?
- ● además
- ○ basicá
- ○ mascára

9 Mi tío tiene un carro eléctrico.
¿Qué palabra tiene el acento escrito en la sílaba tónica correcta como en eléctrico?
- ○ éjercito
- ● témpano
- ○ cámion

10 El miércoles tendremos un examen.
¿Qué palabra tiene el acento escrito en la sílaba tónica correcta como en miércoles?
- ○ límon
- ○ ávion
- ● sábado

En primavera Nombre______________

11 ¿Qué quiere el autor que el lector piense sobre el verano?
- ○ Que tiene demasiadas horas de luz del sol.
- ● Que es la estación más divertida de todas.
- ○ Que no hay mucho que hacer durante el verano.

12 Para convencer a los lectores de que el verano es la mejor estación, el autor
- ○ compara el verano con el invierno.
- ○ habla sobre unas vacaciones de verano especiales.
- ● da ejemplos de por qué el verano es mejor que otras estaciones.

13 Un dato que el autor resalta sobre el verano es que
- ● hay mucha más luz del sol.
- ○ la ropa es más abrigadora.
- ○ es más fácil comer adentro.

Nombre______________ En primavera

14 El autor usa el detalle de más luz del sol para convencer al lector
- ○ de quitarse el abrigo.
- ● de que el verano es la mejor estación.
- ○ de tener un almuerzo al aire libre en casa con su familia.

15 En una hoja aparte, escribe las razones que da el autor en el párrafo 2 por las que le gusta más el verano.

Escritura: Libro sobre cómo hacer algo

Piensa en una actividad que solo hagas en el verano. En una hoja aparte, escribe los pasos necesarios para realizar esa actividad.

Nombre ____________

Palabras de uso frecuente

Instrucciones: Escoge la palabra que mejor complete la oración.

1 ¡Está lloviendo y no traje paraguas ______ impermeable!
○ ya ● ni ○ que

2 No fui a la escuela porque ______ enfermo.
○ soy ○ está ● estoy

3 En el museo hay muchos objetos antiguos con ______ extraños.
● signos ○ lápices ○ cartas

4 Espera, me ______ de ropa y salgo a jugar al fútbol contigo.
○ caigo ○ canso ● cambio

5 El próximo lunes ______ el verano.
○ empezó ● empieza ○ empezar

Nombre ____________

Fonética

Instrucciones: Lee cada oración y la pregunta que sigue. Escoge la respuesta correcta.

6 Después de hacer la tarea voy a ver un video.
¿Qué palabra tiene el hiato eo como en video?
○ homero ○ miel ● aseo

7 Mi maestra se llama Rita.
¿Qué palabra tiene el hiato ae como en maestra?
○ tarea ● extraer ○ zapato

8 La pizza es de anchoas.
¿Qué palabra tiene el hiato oa como en anchoas?
● oasis ○ ancho ○ reacción

9 Mi tía vive en Europa.
¿Qué palabra tiene un diptongo como en Europa?
○ Rosita ● deuda ○ cavando

10 El perro del vecino está aullando.
¿Qué palabra tiene un diptongo como en aullando?
○ amarillo ○ ubicar ● pausa

Nombre ____________

11 Esta selección trata principalmente sobre
● notar que se acerca la primavera.
○ una larga caminata hasta la parada del autobús.
○ cómo la naturaleza puede jugar trucos con las estaciones.

12 ¿Cuál de las siguientes oraciones de la selección describe su tema, o idea principal?
● *Mamá, ¿ves todos los cambios?*
○ *Era un día fresco a principios de abril.*
○ *–¿Qué quieres decir? –preguntó su mamá.*

13 ¿Cómo ayuda Carla a mostrar el tema de la selección?
○ Ella hace preguntas sobre qué tan lejos deben ir.
○ A ella no le gusta caminar hasta la parada del autobús.
● Ella habla sobre las diferentes cosas que ve en la naturaleza.

Nombre ____________

14 La selección tiene detalles sobre flores coloridas y pájaros. ¿Cuál es otro tema de la selección?
○ A Carla le gusta pasar el tiempo con su mamá.
● La belleza de la naturaleza cambia cada estación.
○ Carla y su mamá se interesarán más por las flores.

15 En una hoja aparte, escribe sobre dos detalles de la selección que muestran que la primavera se acerca.

Escritura: Libro sobre cómo hacer algo

¿Qué actividad te gusta hacer en la primavera? En una hoja aparte, escribe sobre cómo realizar esa actividad.

Nombre__________ Las señales del invierno

Palabras de uso frecuente

Instrucciones: Escoge la palabra que mejor complete la oración.

1 Este _____ de semana voy a ir a la playa.
○ jueves ● fin ○ termina

2 Luisa siempre _____ a jugar a mi casa.
○ vino ○ vinieron ● viene

3 La alarma _____ suena a las 8 *a. m.*
○ ayer ○ es ● siempre

4 ¿_____ nos llevará este camino?
○ Cuándo ○ Cómo ● Adónde

5 Yo no quería ir, pero _____ final acepté.
○ a ● al ○ el

Las señales del invierno Nombre__________

Fonética

Instrucciones: Lee cada oración y la pregunta que sigue. Escoge la respuesta correcta.

6 El músico usa una boina.
¿Qué palabra tiene el diptongo oi como en boina?
○ hocico ○ hortaliza ● heroico

7 El mecánico le cambió el aceite al carro.
¿Qué palabra tiene el diptongo ei como en aceite?
○ fútbol ● peine ○ cielo

8 El rey vive en un palacio.
¿Qué palabra tiene un diptongo como en rey?
● maguey ○ yendo ○ yoyo

9 Compré una rosquilla en la panadería.
¿Cuál es la raíz de la palabra panadería?
○ pana ● pan ○ nadería

10 Por la tarde, el cielo se ve anaranjado.
¿Cuál es la raíz de la palabra anaranjado?
○ ajado ○ naranjado ● naranja

Las señales del invierno Nombre__________

11 ¿Qué te indica el texto que no te indican las ilustraciones?
○ Las aves esponjan sus plumas para mantener el calor.
○ Las aves se sientan juntas para mantener el calor en el invierno.
● Las aves deben comer mucho antes de que llegue la primera nevada.

12 ¿De qué manera se relaciona la primera ilustración con la selección?
○ Muestra aves jugando en la nieve.
○ Muestra aves comiendo semillas del suelo.
● Muestra una manera en que las aves pueden mantener el calor.

13 ¿Por qué el autor incluyó las ilustraciones en la selección?
● Para mostrar a las personas las maneras en que las aves pueden mantener el calor.
○ Para explicar cómo las aves pueden formar diferentes grupos.
○ Para describir los diferentes alimentos que comen las aves en el invierno.

Nombre__________ Las señales del invierno

14 La ilustración que está junto al párrafo 6 muestra
○ los diferentes tipos de aves de invierno.
○ los diferentes lugares a los que van las aves en el invierno.
● la manera en que las aves esponjan sus plumas en el invierno.

15 En una hoja aparte, usa dibujos y palabras para describir las ideas principales de "Mantener el calor en el invierno".

Escritura: Libro sobre cómo hacer algo

¿Cómo mantienes el calor en el invierno? En una hoja aparte, escribe instrucciones sobre qué puede hacer una persona para mantener el calor cuando hace frío en el invierno.

Nombre ______________________

Palabras de uso frecuente

Instrucciones: Escoge la palabra que mejor complete la oración.

1 Yo ________ tres años mayor que mi hermanito.

○ soy ○ somos ○ eres

2 Hoy ________ más estrellas en el cielo que ayer.

○ soy ○ voy ○ veo

3 Hay ________ rana en el jardín.

○ una ○ un ○ dos

4 La pelota cayó ________ el patio del vecino.

○ al ○ del ○ en

5 La niña irá directo a ________ casa.

○ su ○ el ○ fue

Nombre ________________

Fonética

Instrucciones: Escucha cada oración y la pregunta que sigue. Escoge la respuesta correcta.

6 Yo voy a mi casa.
¿Qué palabra tiene el sonido de una sílaba con la vocal abierta a como en casa?

○ pala ○ perro ○ mucho

---

7 El mono trepa el árbol.
¿Qué palabra tiene el sonido de una sílaba con la vocal abierta o como en mono?

○ mar ○ misa ○ lobo

---

8 La uva es morada.
¿Qué palabra comienza con una sílaba cerrada con u como en uva?

○ uña ○ niña ○ tanto

---

9 Mi mamá se llama Tina.
¿Qué palabra tiene una sílaba con m como mamá?

○ vino ○ mapa ○ esto

---

10 La pera es dulce.
¿Qué palabra tiene una sílaba con p como pera?

○ yoyo ○ pena ○ tiene

Comprensión auditiva

Instrucciones: Escucha la selección y responde a las preguntas.

Abejas en la ciudad

1 Mi amiga María vive en la ciudad. Ella tiene abejas en su patio trasero y me preguntó si me gustaría ayudarla a obtener la miel de las abejas. ¡Yo estaba tan feliz!

2 María me dio un enorme sombrero, guantes y un traje que cubría todo mi cuerpo.

3 —¿Tratarán de picarme las abejas? —le pregunté.

4 —Si una abeja zumba a tu alrededor, quédate quieta. Te dejará en paz —dijo María.

5 El padre de María tomó un poco de miel de una colmena.

6 Yo metí mi dedo. Estaba pegajoso. ¡Entonces una abeja se paró en mi mano!

7 El padre de María tomó un poco de miel de una colmena.

8 —Quédate quieta. Las abejas también comen miel —dijo María. —¡Vaya! ¡La estoy alimentando! —dije. Observé la abeja. ¡Me sentí tan afortunada!

9 Más tarde, María me dio un pequeño frasco de miel. Lo puse en mi estante especial. Cuando lo miro, ¡pienso en mi día con las abejas!

Nombre ____________________

11 ¿Cómo se siente la narradora cuando llega a la casa de María?

○ ○ ○

12 ¿Quién le da a la narradora el sombrero, los guantes y el traje?

○ ○ ○

13 ¿Cómo se siente la narradora en los párrafos 6, 7 y 8 cuando la abeja se para en su mano?

○ ○ ○

14 La narradora pone el regalo de María en un estante para recordar:

○ ○ ○

15 ¿Qué siente María por su amiga por haberla invitado a ver las abejas? Haz un dibujo y escribe una oración en una hoja aparte.

Escritura: Narración

En una hoja aparte, dibújate con un amigo. Escribe una oración que diga qué les gusta hacer juntos.

Nombre ____________________

Palabras de uso frecuente

Instrucciones: Escoge la palabra que mejor complete la oración.

1 Comeremos ______ postre después de cenar.

○ un ○ una ○ la

2 El perro ______ su mascota.

○ un ○ soy ○ es

3 La niña ______ con sus muñecas.

○ juega ○ come ○ trepa

4 ¿Puedo ir al parque ______ mis amigos?

○ de ○ con ○ en

5 El niño y la ______ son hermanos.

○ prima ○ niña ○ perro

Nombre ______________________

Fonética

Instrucciones: Escucha cada oración y la pregunta que sigue. Escoge la respuesta correcta.

6 Mi tía Anel compró una lata de miel.
¿Qué palabra tiene una sílaba que comienza con el sonido de l?

○ lata ○ Anel ○ miel

---

7 Me gustan la lima y el limón, pero no me gusta la col.
¿Qué palabra tiene una sílaba que termina con el sonido de l?

○ lima ○ limón ○ col

---

8 El color favorito de Lily es el violeta.
¿Qué palabra tiene la consonante l inicial?

○ Lily ○ color ○ violeta

---

9 El Sr. Camil se lima las uñas.
¿Qué palabra comienza con la misma sílaba que lima?

○ libre ○ lente ○ lupa

---

10 El color favorito de Carla es el azul.
¿Qué palabra tiene la consonante l final?

○ azul ○ Carla ○ color

Nombre ______________________

Comprensión auditiva

Instrucciones: Escucha la selección y responde a las preguntas.

La pizza de los viernes

1 Aldo y su abuelo preparan juntos una cena especial cada viernes. Esta noche, quieren hacer pizza de brócoli.

2 Aldo ayuda a su abuelo a hacer una lista. Necesitan queso, brócoli y salsa de tomate.

3 Ellos caminan a la tienda para comprar la comida. La tienda es muy grande y tiene muchos estantes altos.

4 Ven las frutas y las verduras y encuentran el brócoli. Luego, toman el queso y buscan la salsa de tomate.

5 —Ya tenemos todo lo de la lista —dice Aldo.

6 El abuelo de Aldo paga la comida. Luego, se van a casa.

7 Aldo y su abuelo hacen la pizza. Entonces, es hora de comer. Aldo toma un bocado de su pizza.

8 —¡Mmm! ¡Me encanta la pizza de los viernes! —dice Aldo.

11 ¿A dónde van Aldo y su abuelo a comprar la comida?

○

○

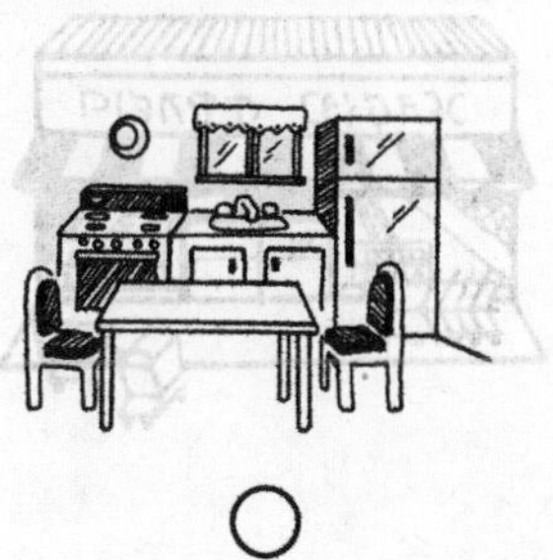

○

12 ¿Qué ven Aldo y su abuelo cuando van a buscar la comida?

○

○

○

13 ¿Cómo se siente Aldo al final del cuento?

○

○

○

Nombre ____________________

14 ¿Dónde están Aldo y su abuelo cuando comen la pizza?

○ ○ ○

15 ¿Cuándo preparan cenas especiales Aldo y su abuelo?
Escribe tu respuesta en una hoja aparte.

Escritura: Narración

En una hoja aparte, dibuja una comida que te guste comer.
Escribe una oración sobre esta comida.

Nombre ______________________

Palabras de uso frecuente

Instrucciones: Escoge la palabra que mejor complete la oración.

1 ¡Luisa, ven, _______ qué rápido va el tren!

○ mira ○ son ○ el

2 Mi hermano _______ jugando con su amigo.

○ estoy ○ está ○ es

3 Mi papá y yo _______ a ir al cine.

○ vamos ○ vemos ○ voy

4 Mi casa está _______ de la escuela.

○ por ○ debajo ○ cerca

5 Esa sombrilla es _______ mi mamá.

○ por ○ de ○ con

Nombre ____________________

Fonética

Instrucciones: Escucha cada oración y la pregunta que sigue. Escoge la respuesta correcta.

6 Pedro está sentado en la silla.
¿Qué palabra tiene el mismo sonido inicial de s que silla?

○ sopa ○ cuatro ○ queso

---

7 Yo tengo dos manos.
¿Qué palabra tiene el mismo sonido final de s que dos?

○ uso ○ tos ○ solo

---

8 Mi mes favorito es diciembre.
¿Qué palabra tiene la misma consonante s final que mes?

○ las ○ suyo ○ caso

---

9 La sopa es de papa.
¿Qué palabra tiene la misma consonante s inicial que sopa?

○ risa ○ sapo ○ vez

---

10 El sol brilla en el cielo.
¿Qué palabra tiene el mismo sonido de s que sol?

○ suyo ○ coco ○ cuatro

Comprensión auditiva

Instrucciones: Escucha la selección y responde a las preguntas.

Montar en bicicleta

1 Montar en bicicleta es muy divertido, pero hay reglas para mantenerte seguro cuando lo haces.

Regla 1

2 Usa un casco cuando montes en bicicleta. Un casco mantiene tu cabeza a salvo.

Regla 2

3 Usa colores brillantes cuando montes en bicicleta. Las personas en los carros podrán verte mejor.

Regla 3

4 Monta con un adulto. Un adulto te ayudará a mantenerte a salvo. Los adultos saben cuándo parar y seguir. Miran a ambos lados antes de cruzar la calle.

5 Puedes montar en bicicleta con amigos y familiares. Cuando montas con dos o más personas, pueden estar aún más seguros juntos.

6 Si sigues las reglas, puedes divertirte y estar seguro al mismo tiempo.

Nombre ____________________

11 Según la Regla 1, ¿qué debes usar?

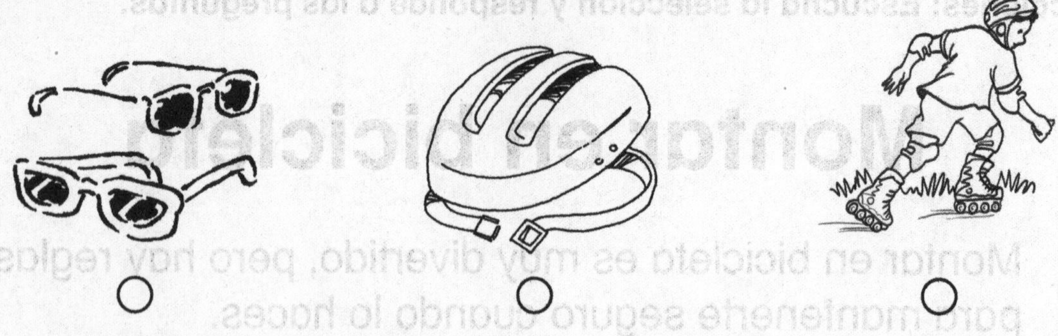

○ ○ ○

12 La Regla 2 te ayuda con:

○ ○ ○

13 Según la Regla 3, ¿con quién debes montar?

○ ○ ○

Nombre ____________________ **¡Mira a ambos lados!**

14 Las reglas te enseñan cómo puedes mantenerte

○ seguro ○ afortunado ○ rápido

15 En una hoja aparte, haz un dibujo sobre cómo indica la Regla 2 que debes vestir. Escribe palabras o una oración para describir tu dibujo.

Escritura: Narración

En una hoja aparte, dibuja un lugar donde te gustaría caminar o montar en bicicleta. Escribe una oración que hable sobre ese lugar.

Nombre ____________________

Palabras de uso frecuente

Instrucciones: Escoge la palabra que mejor complete la oración.

1 Pepe ________ muchos juguetes.

○ tengo ○ somos ○ tiene

2 Yo tengo un gato ________ un perro.

○ a ○ y ○ el

3 Mi maestra es muy buena. ________ se llama Tina.

○ Él ○ Yo ○ Ella

4 ¿Qué ________ de comer?

○ para ○ hay ○ hoy

5 Mi ________ está en una esquina.

○ sol ○ casa ○ cielo

Fonética

Instrucciones: Escucha cada oración y la pregunta que sigue. Escoge la respuesta correcta.

6 La ardilla come una nuez.
¿Qué palabra tiene una sílaba que comienza con n como en nuez?

○ otro ○ como ○ cono

---

7 El pan está duro.
¿Qué palabra termina con la letra n como en pan?

○ ven ○ tuna ○ solo

---

8 El ave está en su nido.
¿Qué palabra tiene una sílaba abierta con n como en nido?

○ más ○ Toño ○ nube

---

9 La pintura es azul.
¿Qué palabra tiene una sílaba que termina en n como en pintura?

○ risa ○ normal ○ pantera

---

10 El camión hace mucho ruido.
¿Qué palabra termina en una sílaba cerrada con n como en camión?

○ nada ○ marrón ○ mar

Nombre ____________________

Comprensión auditiva

Instrucciones: Escucha la selección y responde a las preguntas.

El concurso de talento

1 Era el día del concurso de talento. Todos estaban emocionados.

2 El alcalde Torres subió al escenario. —Hoy será un día muy divertido. Es hora de comenzar el espectáculo —dijo. Toda la gente vitoreó.

3 Primero salió una banda. Ana tocó la guitarra, Carlos tocó el teclado y Julia tocó la batería. Todos cantaron. La multitud bailó.

4 Luego, Tony subió al escenario. Parecía asustado y no decía nada. Su hermana mayor salió y lo abrazó. Tony se sintió mejor y leyó un poema sobre su ciudad.

5 El último acto fue el Sr. y la Sra. Ruiz. La Sra. Ruiz tocó el piano y el Sr. Ruiz bailó tap. La multitud los adoró.

6 ¡El alcalde Torres tenía razón! El concurso de talento fue divertido para todos.

Nombre ____________________

11 ¿Qué hizo el alcalde Torres al comienzo del cuento?

○ ○ ○

12 ¿Qué hacían los miembros de la banda de Ana?

○ ○ ○

13 ¿Qué hacía la multitud mientras Ana y su banda tocaban?

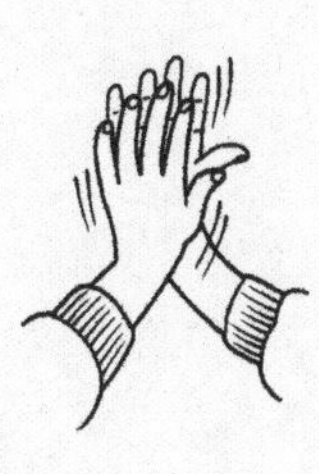

○ ○ ○

Nombre ____________________

14 Al principio, Tony no leyó su poema porque estaba

○ asustado ○ sorprendido ○ emocionado

15 En una hoja aparte, escribe una oración que diga lo que hizo el Sr. Torres.

Escritura: Narración

¿Qué harías en un concurso de talento? En una hoja aparte, haz un dibujo de un talento que le mostrarías a las personas. Escribe una oración sobre tu talento.

Nombre ____________________

Palabras de uso frecuente

Instrucciones: Escoge la palabra que mejor complete la oración.

1 La mosca se paró ________.

○ hoy ○ allí ○ ahora

2 Ayer pasamos el ________ en la playa.

○ sol ○ casa ○ día

3 Mi mascota es un ________ chiquito.

○ perro ○ carro ○ palo

4 Los domingos vamos al ________.

○ escuela ○ parque ○ cielo

5 El ________ estuvo muy divertido.

○ paseo ○ noche ○ pelo

Nombre ______________________

Fonética

Instrucciones: Escucha cada oración y la pregunta que sigue. Escoge la respuesta correcta.

6 El dado es cuadrado.
¿Qué palabra tiene el mismo sonido inicial que la d en dado?

○ arde ○ dama ○ bola

---

7 Voy a pedir una gaseosa de uva.
¿Qué palabra tiene una sílaba que comienza con el sonido d como en pedir?

○ adorno ○ lápiz ○ amor

---

8 Me gustan todos los animales.
¿Qué palabra tiene el mismo sonido inicial que la t en todos?

○ hubo ○ dedo ○ tubo

---

9 El perrito me da la pata.
¿Qué palabra tiene una sílaba con t como en pata?

○ modo ○ neto ○ misa

---

10 Mi papá come tomates.
¿Qué palabra tiene una sílaba con t como en tomates?

○ patín ○ domo ○ niño

Comprensión auditiva

Instrucciones: Escucha la selección y responde a las preguntas.

Cómo podar un árbol

1 Podar un árbol puede ayudarlo a crecer. Estos son los pasos para podar un árbol.

2 Paso 1: Las personas que podan árboles deben usar cascos de seguridad, guantes y gafas protectoras. Quieren estar seguros.

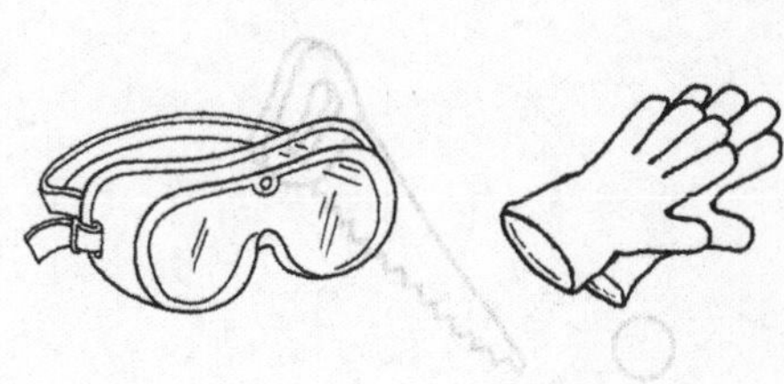

3 Paso 2: Luego, los jardineros usan sierras para podar las ramas de los árboles.

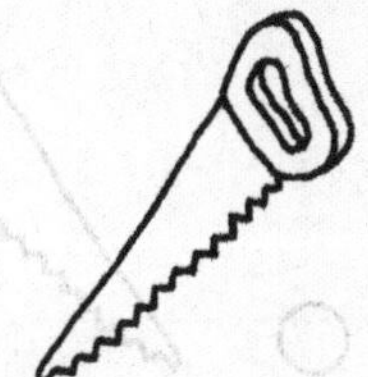

4 Paso 3: Los jardineros buscan las ramas más grandes. Primero hacen cortes grandes.

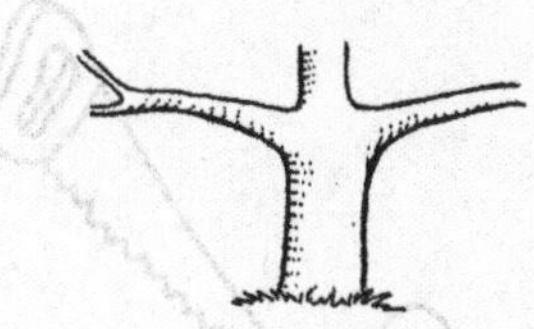

5 Paso 4: Luego, los jardineros buscan las ramas más pequeñas. Hacen cortes pequeños para quitar las ramas más pequeñas.

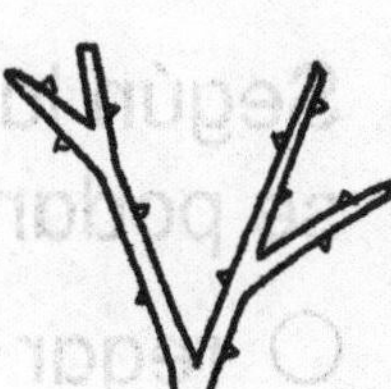

6 Paso 5: Finalmente, los jardineros dejan que los árboles sanen.

Nombre ____________________

11 La ilustración del Paso 1 muestra lo que los trabajadores usan para estar

○ felices.

○ seguros.

○ abrigados.

12 ¿Qué ilustración muestra los cortes que hacen primero los jardineros?

○ 

○ 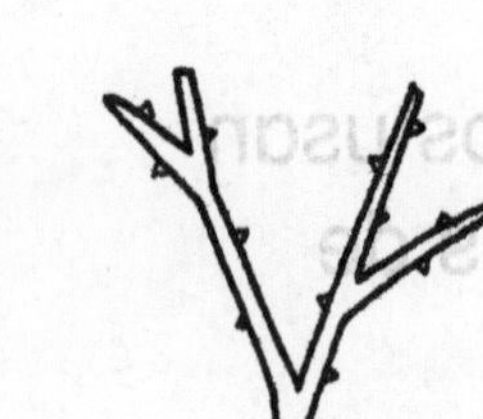

○ 

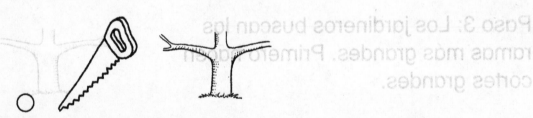

13 Según la ilustración del Paso 5, después de que los árboles se podan, se deben

○ regar mucho.

○ dejar que sanen.

○ plantar en otro lugar.

14 ¿Qué paso debe observar el lector para saber qué herramienta se usa para podar los árboles?

- ○ El paso 1
- ○ El paso 2
- ○ El paso 3

15 Escribe una oración que indique las tres cosas que un jardinero debe usar.

Escritura: Narración

En una hoja aparte, haz un dibujo de un árbol saludable. Escribe una oración que diga cómo luce el árbol.

Nombre ____________________

Palabras de uso frecuente

Instrucciones: Escoge la palabra que mejor complete la oración.

1 ¿_______ hora es?

○ Cómo ○ Qué ○ Por

2 Primero fuimos al parque y _______ a la tienda.

○ luego ○ más ○ otro

3 El maestro llegó _______.

○ mañana ○ tarde ○ bueno

4 La niña no se siente _______.

○ bueno ○ ir ○ bien

5 El bebé _______ más leche.

○ quiere ○ quiero ○ quien

Nombre ______________________________

Fonética

Instrucciones: Escucha cada oración y la pregunta que sigue. Escoge la respuesta correcta.

6 La bota es negra.
¿Qué palabra tiene una sílaba que comienza con el mismo sonido /b/ que bota?

○ mota ○ roca ○ boca

---

7 Mi abuelo usa un bastón.
¿Qué palabra tiene una sílaba que comienza con el mismo sonido que la b en bastón?

○ bolsa ○ nueve ○ dedo

---

8 Susana rebasa a Clara en la carrera.
¿Qué palabra tiene una sílaba que comienza con b como rebasa?

○ abusa ○ dinero ○ avisa

---

9 Juan encontró una roca en el río.
¿Qué palabra tiene el mismo sonido /r/ que roca?

○ rosa ○ cosa ○ armar

---

10 Quiero darte un regalo.
¿Qué palabra tiene una sílaba que comienza con r como en regalo?

○ tomo ○ racimo ○ carta

Nombre ____________________

Comprensión auditiva

Instrucciones: Escucha la selección y responde a las preguntas.

De cordero a oveja

1 La lana proviene de las ovejas. ¡Aprendamos más sobre las ovejas!

2 La oveja bebé se llama cordero. Cuando el cordero nace, es muy pequeño y su madre lo cuida. Mientras el cordero crece, también le crece más lana en el cuerpo.

3 Los dientes de un cordero cambian a medida que crece. Al nacer, tiene aproximadamente ocho dientes de leche. Los dientes de leche están en la parte de inferior del hocico. No tiene dientes en la parte superior. Cuando el cordero cumple un año, pierde dos dientes de leche. Después, le salen dos nuevos dientes permanentes.

4 Cuando el cordero cumple un año sucede otra cosa: ya no se llama cordero. ¡Ahora es una oveja!

5 Cuando la oveja cumple cuatro años, ya no tiene ningún diente de leche. Tiene dientes permanentes en todo el hocico. Pronto, comienza a perder algunos dientes permanentes. Puedes saber qué edad tiene una oveja al mirar sus dientes.

6 ¡Cuando el cordero crece, pasa por muchos cambios!

11 ¿Cuál es la idea principal de la selección?

- ○ Cuando un cordero cumple un año se llama oveja.
- ○ Un cordero pasa por muchos cambios mientras crece.
- ○ Cuando un cordero cumple cuatro años, tiene dientes permanentes.

---

12 La idea principal del párrafo 3 es que

- ○ un cordero bebé se llama oveja.
- ○ los dientes de un cordero cambian a medida que crece.
- ○ puedes saber qué edad tiene una oveja al mirar su lana.

---

13 La idea principal del párrafo 5 es que

- ○ una oveja pierde los dientes y le crecen más dientes.
- ○ una oveja tiene dientes permanentes cuando cumple cuatro años.
- ○ puedes saber qué edad tiene una oveja al mirar sus dientes.

 Nombre________________________

14 ¿Cuál de los siguientes es un detalle importante del párrafo 2 de la selección?

- O *¡Aprendamos más sobre las ovejas!*
- O *Pronto, comienza a perder algunos dientes permanentes.*
- O *Mientras el cordero crece, también le crece más lana en el cuerpo.*

---

15 Haz un dibujo y rotúlalo para mostrar la diferencia entre un cordero y una oveja adulta.

Escritura: Escritura informativa

Piensa en algo que sabes que crece y cambia. En una hoja aparte, dibuja y escribe sobre algo que sabes que crece y cambia. Incluye un título en tu dibujo y escritura.

Palabras de uso frecuente

Instrucciones: Escoge la palabra que mejor complete la oración.

1 El granjero _______ semillas en la tierra.

○ come ○ duerme ○ siembra

---

2 Bingo se escondió _______ de la puerta.

○ arriba ○ detrás ○ debajo

---

3 Cuando sea grande, quiero _______ astronauta.

○ soy ○ ser ○ ir

---

4 Yo quiero ir al cine, ¿_______ también?

○ tú ○ tu ○ tus

---

5 Ella no _______ abrir el frasco.

○ tiene ○ poder ○ puede

 Nombre ______________________

Fonética

Instrucciones: Escucha cada oración y la pregunta que sigue. Escoge la respuesta correcta.

6 El gato asustó a la ardilla.
¿Qué palabra comienza con el mismo sonido de ga que gato?

○ gana ○ jala ○ rana

---

7 El grifo gotea.
¿Qué palabra comienza con el mismo sonido de go que gotea?

○ coma ○ toma ○ goma

---

8 Me gusta el helado.
¿Qué palabra comienza con el mismo sonido de gu que gusta?

○ jugo ○ gusano ○ agrio

---

9 Yo quiero mucho a mi mascota.
¿Qué palabra tiene un dígrafo ch como en mucho?

○ chispa ○ cine ○ quiso

---

10 La rana está en un charco.
¿Qué palabra tiene un dígrafo ch como en charco?

○ horno ○ toque ○ derecha

Nombre ______________________

Comprensión auditiva

Instrucciones: Escucha la selección y responde a las preguntas.

De flor a fruta

1 ¿Te gustan las manzanas, las peras y las naranjas? ¿Sabías que todas las frutas que te gustan alguna vez fueron flores? Una planta pasa por muchas etapas para convertir una flor en fruta.

2 Las flores tienen un polvo especial dentro de ellas, llamado polen. El polen ayuda a las plantas a producir nuevas plantas. Insectos como las abejas y las mariposas recogen un poco de polen de una flor y lo transportan a otra flor.

3 El viento también puede transportar el polen.

4 El polen cae en una parte especial de la flor. Luego, la planta comienza a producir semillas. Después, los pétalos de las flores se caen. El resto de la flor comienza a convertirse en una fruta.

5 Pronto, la fruta se hace más grande y también puede cambiar de color. Esto significa que la fruta es dulce. ¡Está lista para comer!

Nombre ______________________________

11 ¿Qué oración del párrafo 1 te ayuda a entender que la selección se tratará sobre hechos que ocurren en orden?

- ○ *¿Te gustan las manzanas, las peras y las naranjas?*
- ○ *¿Sabías que todas las frutas que te gustan alguna vez fueron flores?*
- ○ *Una planta pasa por muchas etapas para convertir una flor en fruta.*

---

12 ¿Qué pasa después de que se caen los pétalos de las flores?

- ○ El viento transporta el polen.
- ○ Los insectos llevan el polen a la flor.
- ○ El resto de la flor se convierte en una fruta.

---

13 ¿Cómo organiza el texto el autor?

- ○ Cuenta un cuento de fantasía.
- ○ Describe las partes de una flor.
- ○ Organiza los hechos en una secuencia.

14 ¿Cuál de las siguientes es una inferencia que puedes hacer después de leer la selección?

- ○ No todas las frutas que comemos provienen de las flores.
- ○ A los insectos y a las aves no les gusta transportar el polen.
- ○ Las plantas necesitan a los animales y al viento para transportar el polen.

15 Escribe una inferencia sobre las abejas basada en la selección. Vuelve a leer el texto y usa lo que lees y lo que ya sabes. Escribe tu respuesta en una hoja aparte.

Escritura: Escritura informativa

Piensa en una fruta que hayas visto. En una hoja aparte, haz un dibujo sobre cómo una flor se convierte en una fruta y rotúlalo. Usa hechos y detalles en tu escritura.

Nombre ______________________

Palabras de uso frecuente

Instrucciones: Escoge la palabra que mejor complete la oración.

1 En verano, cae mucha ______.

○ sol ○ lluvia ○ noche

2 Las vacas viven en la ______.

○ granja ○ cama ○ escuela

3 Yo ______ quiero ir al cine.

○ creo ○ ver ○ también

4 Clara quiere ______ la nueva película.

○ ver ○ ir ○ comer

5 En primavera, hace mucho ______.

○ frío ○ calor ○ nieve

Nombre ____________________

Fonética

Instrucciones: Escucha cada oración y la pregunta que sigue. Escoge la respuesta correcta.

6 El ratón come queso.
¿Qué palabra tiene el mismo sonido /*qu*/ como en queso?
○ quema ○ tema ○ cera

7 Mi papá hizo una maqueta.
¿Qué palabra tiene una sílaba con que como en maqueta?
○ canica ○ quedo ○ kiosco

8 La niña espera el autobús en la esquina.
¿Qué palabra tiene una sílaba con qui como en esquina?
○ chiquito ○ cocina ○ lámina

9 Hay una araña en el jardín.
¿Qué palabra tiene el mismo sonido /*ñ*/ como en araña?
○ mango ○ rebaño ○ rebano

10 Hoy es mi cumpleaños.
¿Qué palabra tiene una sílaba con ñ como en cumpleaños?
○ paño ○ unos ○ manos

Nombre ____________________

Comprensión auditiva

Instrucciones: Escucha la selección y responde a las preguntas.

Las focas arpa

1 La foca arpa es un animal que vive en aguas muy frías. Las focas arpa bebés se ven muy diferentes de sus padres.

2 La foca arpa bebé se llama cachorro. Es blanco, peludo y pequeño. Pero no se queda así mucho tiempo.

3 Pronto, el cachorro estará listo para dejar a su madre. El cachorro debe aprender a obtener comida por sí mismo.

4 A medida que la foca crece, se hace más grande. Puede pesar hasta trescientas libras. ¡Eso es casi el mismo peso que una motocicleta!

5 El pelaje de la foca arpa cambia a medida que crece. El pelaje blanco comienza a caerse. La foca arpa se vuelve gris con manchas oscuras. Se ve muy diferente cuando es adulta.

Nombre ______________________

11 ¿Por qué el autor escribió "Las focas arpa"?

- ○ Para informar al lector sobre las focas arpa.
- ○ Para convencer al lector de que le gusten las focas arpa.
- ○ Para entretener al lector con cuentos sobre las focas arpa.

---

12 ¿Qué quiere el autor que entiendas después de leer esta selección?

- ○ Cómo viven las focas arpa en el frío.
- ○ Cómo comen, beben y duermen las focas arpa.
- ○ Cómo cambian a medida que crecen las focas arpa.

---

13 ¿Qué intenta enseñarte el autor en el párrafo 4?

- ○ Qué tan grande es una foca arpa adulta.
- ○ Cómo se ve el pelaje de una foca arpa.
- ○ Cuándo deja a su madre la foca arpa.

Nombre ______________________

14 Lee esta oración de la selección.

> *¡Eso es casi el mismo peso que una motocicleta!*

¿Por qué el autor incluye esta oración?

- ○ Para enseñar al lector sobre motocicletas.
- ○ Para mostrar qué tan pesada puede ser la foca arpa.
- ○ Para explicar que tan rápido pueden nadar las focas arpa.

---

15 En una hoja aparte, escribe dos preguntas que le harías al autor.

Escritura: Escritura informativa

Piensa en un animal que conoces. En una hoja aparte, haz un dibujo del animal y escribe sobre cómo crece y cambia. Usa hechos y detalles en tu escritura.

Palabras de uso frecuente

Instrucciones: Escoge la palabra que mejor complete la oración.

1 En invierno, hace mucho ________.

○ calor ○ lluvia ○ frío

2 Me encanta ________ en la cafetería.

○ saltar ○ comer ○ dormir

3 Mi perro duerme ________ de su casa.

○ dentro ○ encima ○ debajo

4 Tengo sueño, ya me voy a ________.

○ bañar ○ dormir ○ comer

5 El aire ________ las hojas.

○ mueve ○ come ○ bebe

Nombre ______________________

Fonética

Instrucciones: Escucha cada oración y la pregunta que sigue. Escoge la respuesta correcta.

6 Comimos merengue de postre.
¿Qué palabra tiene el mismo sonido de gue que merengue?

○ sigue ○ Gina ○ jamón

---

7 Mi tía trajo el guiso.
¿Qué palabra tiene el mismo sonido de gui que guiso?

○ jugar ○ guinda ○ goma

---

8 Guarda todos los juguetes.
¿Qué palabra tiene una sílaba con gue como en juguetes?

○ manguera ○ girasol ○ jalar

---

9 Yo tengo un gorro nuevo.
¿Qué palabra tiene el mismo sonido de */rr/* que gorro?

○ carro ○ marzo ○ gordo

---

10 El saco es color marrón.
¿Qué palabra tiene un dígrafo rr como en marrón?

○ cartera ○ rama ○ carrera

Nombre ______________________________

Comprensión auditiva

Instrucciones: Escucha la selección y responde a las preguntas.

El canario cantor

Canario cantas
una canción,
que me llega
al corazón.

¿Podrás entonar
otro día
esa misma melodía?

Nombre ____________________

11 ¿Cuáles son las dos palabras que riman en la primera parte del poema?

○ cantas, canción

○ que, llega

○ canción, corazón

---

12 Escucha esta línea del poema.

Canario cantas

¿Cuántos tiempos hay en esta línea?

○ 2

○ 5

○ 6

---

13 ¿Cuáles son las dos palabras que riman en la segunda parte del poema?

○ entonar, otro

○ día, melodía

○ misma, melodía

14 Escucha esta línea del poema.

¿Podrás entonar

¿Cuántos tiempos hay en esta línea?

○ 3

○ 4

○ 5

---

15 ¿Cómo sabes que esta selección es un poema? Escribe tu respuesta en una hoja aparte.

Escritura: Escritura informativa

Piensa en un animal que conoces. En una hoja aparte, haz un dibujo del animal. Luego, escribe un hecho sobre el animal. Encierra en un círculo una palabra de la oración que escribiste y escribe otra palabra que rime con ella.

Nombre ____________________

Palabras de uso frecuente

Instrucciones: Escoge la palabra que mejor complete la oración.

1 ¡Ellos ________ cuatro mascotas!

○ tuve ○ tienen ○ tengo

2 Mi abuelo me ________ cinco canicas.

○ doy ○ dar ○ dio

3 El ave tiene unas alas muy ________.

○ grandes ○ ricas ○ bajas

4 El niño ________ cinco patos en el estanque.

○ ve ○ vi ○ vieron

5 Mamá dice que ________ vamos a ir a la playa.

○ hoy ○ ayer ○ tengo

Nombre ____________________

Fonética

Instrucciones: Escucha cada oración y la pregunta que sigue. Escoge la respuesta correcta.

6 El sándwich es de jamón.
¿Qué palabra tiene el mismo sonido que la j en jamón?

○ jarra ○ garra ○ tarro

---

7 El cajón es de madera.
¿Qué palabra tiene una sílaba con j como en cajón?

○ guante ○ debajo ○ guitarra

---

8 El avestruz vive en el zoológico.
¿Qué palabra tiene el mismo sonido que la v en avestruz?

○ adiestrar ○ avaro ○ dormir

---

9 El vestido de mi hermana es rojo.
¿Qué palabra tiene una sílaba con v como en vestido?

○ bomba ○ venir ○ dulce

---

10 Las tortugas viven muchos años.
¿Qué palabra comienza con una sílaba con v como en viven?

○ dolor ○ nube ○ tuvo

Nombre ____________________

Comprensión auditiva

Instrucciones: Escucha la selección y responde a las preguntas.

El diente de Luz

Personajes:

LUZ, una niña visitando a su tía

TÍA TERESA, la tía de Luz

El apartamento de la tía Teresa

(LUZ *está en la sala).*

LUZ: ¡Tía! Necesito tu ayuda.

TÍA TERESA: Sí, Luz. ¿Qué pasa?

LUZ: ¡Mira! Mi diente simplemente se cayó de mi boca.

(LUZ *abre su mano para mostrar a la* TÍA TERESA *el diente de leche*).

LUZ: ¿Se supone que eso debe suceder?

TÍA TERESA: ¡Sí! Cuando naciste, no tenías dientes. Luego te salieron algunos dientes. Esos son tus dientes de leche. No te quedas con esos dientes para siempre. Los dientes de leche se caen para que salgan los dientes permanentes.

(LUZ *se ve confundida).*

LUZ: ¿Tú también tuviste dientes de leche?

TÍA TERESA: Sí, yo tuve dientes de leche cuando tenía tu edad.

LUZ: ¡Eso debe haber sido hace mucho tiempo!

(*La* TÍA TERESA *sonríe*).

TÍA TERESA: Ahora tengo dientes permanentes. El diente que te va a salir es parte del crecimiento.

11 ¿Cuál es el ambiente de la obra?

- ○ La casa de Luz
- ○ El consultorio del dentista
- ○ El apartamento de la tía Teresa

---

12 ¿Quiénes son los personajes de la obra?

- ○ Luz y la tía Teresa
- ○ Luz y las amigas de Luz
- ○ Luz, la mamá de Luz y la tía Teresa

---

13 ¿Cuál de los siguientes es un ejemplo de un diálogo en la obra?

- ○ *Luz está en la sala.*
- ○ *La tía Teresa sonríe.*
- ○ *¿Tú también tuviste dientes de leche?*

Nombre ____________________

14 Escucha estas líneas de la obra.

> **LUZ:** *¡Eso debe haber sido hace mucho tiempo!*
>
> (*La* TÍA TERESA *sonríe*).
>
> **TÍA TERESA:** *Ahora tengo dientes permanentes. El diente que te va a salir es parte del crecimiento.*

¿A qué conclusión puedes llegar sobre la tía Teresa a partir de estas líneas?

- ○ La tía Teresa está feliz.
- ○ La tía Teresa está enojada.
- ○ La tía Teresa está confundida.

---

15 ¿Qué inferencia puedes hacer sobre cómo se siente Luz cuando se le cae el diente? Escribe tu respuesta en una hoja aparte.

Escritura: Escritura informativa

Piensa en una forma en que las personas crecen y cambian. En una hoja aparte, haz un dibujo y escribe sobre este cambio. Usa hechos y detalles en tu escritura.

Nombre ______________________________

Palabras de uso frecuente

Instrucciones: Escoge la palabra que mejor complete la oración.

1 ________ mucha gente en el partido.

○ Había ○ Decía ○ Sabía

2 Mi hermanito ________ otra rebanada de pastel.

○ quieres ○ quería ○ quiero

3 Ser el pateador de mi equipo es un ________ honor.

○ poco ○ gran ○ mucho

4 El Sr. Lora es mi ________.

○ abuela ○ maestra ○ maestro

5 Mis primos ________ que mi equipo iba a perder.

○ decían ○ digo ○ dices

Nombre ____________________

Fonética

Instrucciones: Lee cada oración y la pregunta que sigue. Escoge la respuesta correcta.

6 La abeja zumba muy fuerte.

¿Qué palabra comienza con el mismo sonido de z que zumba?

- ○ zumo
- ○ humo
- ○ calcio

---

7 Comemos pasteles en platos de loza.

¿Qué palabra tiene una sílaba con za como loza?

- ○ aguacate
- ○ cabeza
- ○ hacer

---

8 Esta playa tiene arena blanca.

¿Qué palabra tiene una r suave como arena?

- ○ yegua
- ○ avena
- ○ pera

---

9 El venado camina por la vereda.

¿Qué palabra tiene el mismo sonido de re que vereda?

- ○ ramas
- ○ parece
- ○ cantar

---

10 Mi perico se llama Pancho.

¿Qué palabra tiene una sílaba que empieza con r como en perico?

- ○ esfera
- ○ corto
- ○ niños

Comprensión de lectura

Instrucciones: Lee la selección y responde a las preguntas.

El pájaro y el ratón

1 El invierno se acerca y pronto hará frío en el bosque. El pájaro planea juntar toda la comida que necesitará para el invierno. Está muy ocupado y no tiene tiempo para jugar. Encuentra toda la comida que necesita y más.

2 El ratón sabe que el invierno se acerca, pero quiere jugar. Corre y juega con sus amigos, y piensa que ya habrá tiempo para buscar comida más tarde.

3 La nieve cubre el bosque. ¡Llegó el invierno! El ratón no consiguió comida y está hambriento.
—El próximo invierno, buscaré comida con tiempo —dice el ratón al ver la comida del pájaro. El pájaro es muy amable y comparte su comida con el ratón.

 Nombre

11 ¿Qué ocurre al comienzo del cuento?

- O La nieve comienza a caer.
- O El pájaro comparte su comida con el ratón.
- O El pájaro está juntando comida para el invierno.

12 ¿Cuál es el problema del ratón?

- O El ratón no consigue comida.
- O Al ratón no le gusta el invierno.
- O El ratón no quiere jugar con el pájaro.

13 ¿Cómo ayuda el pájaro a resolver el problema del ratón?

- O El pájaro corre y juega con el ratón.
- O El pájaro mantiene caliente al ratón.
- O El pájaro comparte su comida con el ratón.

14 ¿Por qué el ratón dice: *"El próximo invierno, buscaré comida con tiempo"*.

- O Llegó el invierno.
- O La nieve cubre el bosque.
- O El ratón perdió el tiempo jugando.

15 ¿Cuál es la resolución de "El pájaro y el ratón"? Escribe tu respuesta en una hoja aparte.

Escritura: Poesía

Piensa en una estación del año que te guste. En una hoja aparte, haz una lista de tres palabras que describan esa estación. Junto a cada palabra, escribe otra palabra que rime con ella.

Nombre ______________________

Palabras de uso frecuente

Instrucciones: Escoge la palabra que mejor complete la oración.

1 ¿Te gusta ________ el jugo?

- ○ así
- ○ ahí
- ○ nunca

2 Yo prefiero usar ________ pantalones en invierno.

- ○ aquel
- ○ ellos
- ○ estos

3 La escuela está ________ mi casa y el parque.

- ○ entre
- ○ en
- ○ antes

4 Claudia aprendió a ________ la hora.

- ○ dijo
- ○ decir
- ○ dice

5 ¿________ vendrás a jugar a mi casa?

- ○ Qué
- ○ Dónde
- ○ Cuándo

Nombre ______________________

Fonética

Instrucciones: Lee cada oración y la pregunta que sigue. Escoge la respuesta correcta.

6 La <u>yema</u> de huevo es amarilla.

¿Qué palabra tiene el mismo sonido /*y*/ que <u>yema</u>?

○ iguana ○ hilo ○ yoyo

---

7 <u>Ayer</u> fuimos al cine.

¿Qué palabra tiene una sílaba que empieza con <u>y</u> como <u>ayer</u>?

○ ayuda ○ caray ○ hoy

---

8 Mi <u>helado</u> se derritió.

¿Qué palabra comienza con el mismo sonido de vocal que <u>helado</u>?

○ hechizo ○ higo ○ hagan

---

9 El <u>halcón</u> tiene un nido.

¿Qué palabra tiene una sílaba con <u>h</u> como <u>halcón</u>?

○ arroyo ○ habichuela ○ incompleto

---

10 El gatito juega con los <u>hilos</u>.

¿Qué palabra tiene una sílaba con el sonido /*hi*/ como en hilos?

○ dice ○ mimo ○ hice

Nombre ______________________

Comprensión de lectura

Instrucciones: Lee la selección y responde a las preguntas.

El conejo tramposo

1 El conejo conocía a dos serpientes que vivían cerca del río. —Me divertiré un poco con las serpientes —pensó el conejo.

2 —Sé que puedo vencerte en un juego de tira y afloja —le dijo el conejo a la primera serpiente.

3 —¡Sé que yo puedo ganarte! —respondió la serpiente.

4 El conejo hizo planes para reunirse con la serpiente más tarde ese día. Luego, fue con la otra serpiente y le dijo lo mismo. La segunda serpiente también aceptó reunirse con él.

5 El conejo puso una larga cuerda al otro lado del río. Las serpientes tomaron un extremo cada una. El conejo les dijo a las dos serpientes que él se pondría del otro lado de la cuerda, pero no lo hizo. Las serpientes no podían ver el otro lado.

6 Las serpientes tiraban y tiraban. Pensaban que el conejo era muy fuerte.

7 El conejo se rió y las serpientes lo vieron. Sabían que las había engañado.

11 ¿Por qué el autor escribió esta selección?

○ Para contar un cuento entretenido sobre un conejo.

○ Para convencer a las personas de comprar un conejo.

○ Para informar a las personas sobre diferentes tipos de conejos.

---

12 ¿Por qué el conejo usa una cuerda en el cuento?

○ Para que las serpientes puedan cruzar el río.

○ Para enseñar a las serpientes a hacer un nudo.

○ Para hacer que las serpientes piensen que él quiere jugar a estira y afloja.

---

13 ¿Por qué el autor incluye dos serpientes en la selección?

○ Para enseñarle al conejo a hacer un truco.

○ Para que el conejo tenga una razón para enojarse.

○ Para tener personajes que el conejo pueda engañar.

---

14 Lee esta oración de la selección:

> *"Sé que puedo vencerte en un juego de tira y afloja".*

¿Por qué el autor hace que el conejo diga esto?

○ Para que la serpiente tenga miedo.

○ Para que la serpiente quiera unirse al juego.

○ Para ayudar al lector a saber qué es tira y afloja.

Nombre ____________________

15 ¿Cómo sabes cuál es el propósito del autor para esta selección? Escribe tu respuesta en una hoja aparte.

Escritura: Poesía

Piensa en algo divertido que haces al aire libre. En una hoja aparte, haz una lista de al menos tres palabras de los sentidos que cuenten acerca de esta actividad divertida. Luego, escribe un poema corto usando una de estas palabras. Recuerda que las palabras de los sentidos describen cómo se ven, huelen, suenan, se sienten y saben las cosas.

Nombre ______________________________

Palabras de uso frecuente

Instrucciones: Escoge la palabra que mejor complete la oración.

1 Mi perro se puso muy _______ cuando vio su juguete nuevo.

○ gordo ○ feliz ○ triste

2 Carlos toma el autobús para ir a la _______.

○ escuela ○ mar ○ cocina

3 Tuve mucha _______ y anoté tres goles.

○ suerte ○ sueño ○ hambre

4 Hoy iremos al parque _______ de la escuela.

○ último ○ después ○ primero

5 Me gusta _______ un cuento todas las noches.

○ tomar ○ comer ○ leer

Nombre ______________________

Fonética

Instrucciones: Lee cada oración y la pregunta que sigue. Escoge la respuesta correcta.

6 Las mallas de mi hermana son rojas.

¿Qué palabra tiene una sílaba con el sonido /ll/ como en mallas?

○ armadillo ○ lámpara ○ malas

---

7 El camello es un animal muy alto.

¿Qué palabra tiene el dígrafo ll como en camello?

○ limón ○ yegua ○ caudillo

---

8 La ballena azul es muy grande.

¿Qué palabra tiene una sílaba que comienza con ll como en ballena?

○ cilantro ○ cepillo ○ alimento

---

9 Mi primo tiene doce años.

¿Qué palabra tiene una sílaba con ce como en doce?

○ sello ○ mecer ○ circo

---

10 Mi papá me llevó al cine.

¿Qué palabra tiene una sílaba con ci como en cine?

○ siempre ○ zinc ○ vecino

Comprensión de lectura

Instrucciones: Lee la selección y responde a las preguntas.

Bolas de nieve

Cayó mucha nieve,
sopla un viento frío.
¡A jugar al parque
yo te desafío!

Con bolas de nieve,
batallas tendremos.
Raudos y risueños
las arrojaremos.

O haremos concursos
de lanzar la nieve
muy alto, muy alto.
¡A ver quién se atreve!

Nombre ____________________

11 ¿Qué palabra usa el autor en la línea 12 para rimar con nieve?

O *alto*

O *atreve*

O *concurso*

---

12 ¿Qué palabras se repiten en el poema?

O *muy alto*

O *viento frío*

O *bolas de nieve*

---

13 ¿Cuál es un ejemplo de aliteración en el poema?

O *raudos y risueños*

O *batallas tendremos*

O *Con bolas de nieve*

---

14 ¿Qué palabras riman en la primera estrofa?

O *frío/nieve*

O *frío/desafío*

O *nieve/parque*

15 ¿Por qué el narrador repite las palabras “muy alto” dos veces en la línea 11? Escribe tu respuesta en una hoja aparte.

Escritura: Poesía

En “Bolas de nieve”, el autor se divierte en invierno. Piensa en lo que te gusta hacer para divertirte. En una hoja aparte, escribe una lista de tres palabras de sonido sobre tu actividad divertida. Usa algunas o todas estas palabras para escribir un poema de cuatro líneas.

Nombre ______________________

Palabras de uso frecuente

Instrucciones: Escoge la palabra que mejor complete la oración.

1 Mi hermana ________ a jugar con su amiga.

○ salir ○ salió ○ salgo

2 Voy a ________ mis juguetes.

○ traer ○ traeré ○ traen

3 No tuve ________ de ver la televisión.

○ minuto ○ tiempo ○ hora

4 Ese ________ se parece a mi papá.

○ mamá ○ hombre ○ mujer

5 Mi mamá ________ al mercado.

○ fue ○ fuimos ○ fui

Nombre ____________________

Fonética

Instrucciones: Lee cada oración y la pregunta que sigue. Escoge la respuesta correcta.

6 El canguro brinca muy alto.

¿Qué palabra tiene el mismo sonido de consonantes /br/ que brinca?

○ bobina ○ broma ○ biblioteca

---

7 El broche de mi abuela es muy antiguo.

¿Qué palabra tiene una sílaba con br como en broche?

○ abrir ○ abogado ○ maraca

---

8 La cabra trepó el monte.

¿Qué palabra es el plural de cabra?

○ cabraes ○ cabraz ○ cabras

---

9 La actriz ganó un premio.

¿Qué palabra es el plural de actriz?

○ actrices ○ actris ○ actric

---

10 Vimos un coral en el mar.

¿Qué palabra es el plural de coral?

○ coralz ○ corales ○ corals

Nombre ____________________

Comprensión de lectura

Instrucciones: Lee la selección y responde a las preguntas.

El perro y su hueso

1 Había una vez un perro que encontró un hueso y se puso a caminar con él en su hocico. El hueso sabía bien y el perro solo quería acostarse y masticarlo.

2 El perro caminó por un estanque. Miró hacia el agua y vio un perro. ¡El perro que estaba en el agua tenía un hueso más grande que el suyo! Quería ese hueso más grande, así que tiró el que llevaba y saltó al estanque.

3 El perro no sabía que el agua era como un espejo. ¡El perro que vio en el estanque era realmente su propio reflejo! No había un hueso más grande. El perro trató de encontrar su viejo hueso en el agua, pero no pudo. Ahora tenía que encontrar un hueso nuevo.

Nombre ______________________

11 ¿Qué encuentra el perro al inicio de la selección?

- ○ Algo para comer
- ○ Un lugar para dormir
- ○ Algo de lo que escapar

---

12 ¿Dónde tira el hueso el perro?

- ○ En el estanque
- ○ Sobre una roca
- ○ Cerca de un árbol

---

13 ¿Por qué el perro no puede recuperar el hueso?

- ○ Ya se lo había comido.
- ○ El hueso estaba en el agua.
- ○ Otro perro se llevó el hueso.

---

14 ¿Qué oración muestra el problema del perro en el cuento?

- ○ *El perro caminó por un estanque.*
- ○ *Miró hacia el agua y vio un perro.*
- ○ *El perro que vio en el estanque era su propio reflejo.*

Nombre ____________________

15 Describe el ambiente del cuento. Escribe tu respuesta en una hoja aparte.

Escritura: Poesía

El perro del cuento pierde su hueso. Escribe cuatro líneas de poesía sobre una persona o un animal que pierde algo. Usa dos palabras que rimen en tu poema.

Nombre ______________________

Palabras de uso frecuente

Instrucciones: Escoge la palabra que mejor complete la oración.

1 El examen tenía muchas _______.

○ exámenes ○ preguntas ○ problemas

2 Mi hermanito va a ir a la escuela por primera _______.

○ hora ○ día ○ vez

3 Ya hice la tarea, _______ voy a jugar.

○ ahora ○ antes ○ no

4 Los dos pájaros son del mismo _______.

○ olor ○ color ○ sabor

5 Voy a _______ la puerta.

○ tocar ○ brincar ○ ver

Nombre ____________________

Fonética

Instrucciones: Lee cada oración y la pregunta que sigue. Escoge la respuesta correcta.

6 El examen fue difícil.

¿Qué palabra tiene el mismo sonido de /x/ que examen?

○ leño ○ anexo ○ madeja

---

7 Mi familia vive en un departamento dúplex.

¿Qué palabra termina con el mismo sonido de x que dúplex?

○ bistec ○ kayak ○ tórax

---

8 Mi instrumento musical favorito es el xilófono.

¿Qué palabra tiene una sílaba con x como en xilófono?

○ asfixia ○ reducción ○ misión

---

9 Mi mejor amiga se llama Wendy.

¿Qué palabra tiene el mismo sonido de w que Wendy?

○ wéstern ○ hijos ○ gris

---

10 Ese sitio web es mi favorito.

¿Qué palabra contiene la letra w como en web?

○ guayaba ○ show ○ hielo

Nombre ______________________

Comprensión de lectura

Instrucciones: Lee la selección y responde a las preguntas.

El arte me ayuda a pensar

1 Yo creo que necesitamos un club de arte en la escuela. ¡El arte es bueno porque me ayuda a pensar! Mi tipo de arte favorito es hacer cosas con arcilla.

2 Yo tomé una clase de arte en el campamento. En la clase usamos arcilla e hice un tazón que parece un gato. Mi amigo me preguntó de dónde saque esa idea.

3 Yo le dije: "Pensé en eso mientras jugaba con la arcilla".

4 Al principio, no sabía qué hacer. Luego, comencé a moldear la arcilla y pronto tuve la idea de hacer un gato.

5 Me encanta aprender en la escuela. También me gusta hacer cosas. Creo que podría aprender más si tuviéramos un club de arte.

Nombre ______________________

11 ¿Por qué esta selección es persuasiva?

- ○ Porque dice lo que el autor cree.
- ○ Porque dice cómo hacer arte con arcilla.
- ○ Porque es un cuento de fantasía sobre la arcilla.

---

12 ¿Cuál es una de las razones que da el autor para tener un club de arte?

- ○ El arte es fácil de hacer.
- ○ Ayuda al narrador a pensar.
- ○ La gente puede hacer gatos de arcilla.

---

13 ¿Qué piensa el autor sobre los clubes de arte?

- ○ El autor los encuentra aburridos.
- ○ El autor los encuentra útiles.
- ○ Al autor no le gustan.

---

14 Lee esta oración de la selección.

> *"Creo que podría aprender más si tuviéramos un club de arte".*

¿Por qué el autor agregó esta oración?

- ○ Para explicar cómo es un club de arte.
- ○ Para dar otra razón para tener un club de arte.
- ○ Para mostrar que los clubes de arte son divertidos.

Nombre ____________________

15 ¿Qué quiere el autor que las personas piensen o hagan después de leer "El arte me ayuda a pensar"? Escribe tu respuesta en una hoja aparte.

Escritura: Poesía

El autor de "El arte me ayuda a pensar" explica cómo crear arte le ayuda a pensar mejor. ¿Qué es algo que te ayuda a pensar mejor? En una hoja aparte, escribe cuatro líneas de poesía sobre algo que te ayuda a pensar mejor.

Nombre ____________________

Palabras de uso frecuente

Instrucciones: Escoge la palabra que mejor complete la oración.

1 Mi abuelo me contó la ______ de mi familia.

○ cuento ○ historia ○ canción

2 Mi papá llegó temprano de su ______.

○ cocina ○ carro ○ trabajo

3 ¿______ está mi mochila?

○ Dónde ○ Quién ○ Cuándo

4 Mamá trajo muchas ______ del mercado.

○ cosas ○ gatos ○ libros

5 Puedo quedarme ______ las 2:00 *p. m.*

○ hoy ○ hasta ○ poco

Nombre ______________________

Fonética

Instrucciones: Lee cada oración y la pregunta que sigue. Escoge la respuesta correcta.

6 El perro ladra cuando ve al cartero.

¿Qué palabra tiene la combinación de consonantes dr como en ladra?

○ almendra ○ adorno ○ lodo

---

7 La niña visitó la catedral.

¿Qué palabra contiene la sílaba dra como catedral?

○ dormir ○ edad ○ cuadra

---

8 Los niños subieron a la montaña rusa y gritaron mucho.

¿Qué palabra comienza con el mismo sonido /*gr*/ que gritaron?

○ jirafa ○ gemelo ○ gratis

---

9 El clima es agradable.

¿Qué palabra contiene la sílaba gra como agradable?

○ negra ○ girasol ○ ranura

---

10 La maestra nos agrupó por edades.

¿Qué palabra contiene la sílaba gru como agrupó?

○ grave ○ gruñir ○ gemido

Nombre ____________________

Comprensión de lectura

Instrucciones: Lee la selección y responde a las preguntas.

Maya Angelou

1 Maya Angelou escribió poemas, y muchos de ellos trataban sobre su vida. Una vez, Maya leyó un poema para un presidente y ganó un premio por él.

2 Maya también escribió libros. Sus libros también trataban sobre su vida, sobre las cosas que hizo y sobre los problemas que tenía. Muchos de sus libros ayudaron a los lectores a sentirse mejor. A las personas todavía les gusta leer los libros de Maya.

3 Maya también era actriz. Actúo en obras de teatro en Nueva York y en películas.

4 Maya Angelou hizo muchas cosas diferentes. Ella quería ayudar a las personas.

Nombre ______________________

11 ¿Por qué Maya Angelou escribió libros y poemas?

- O Quería salir en televisión.
- O Quería leerle al presidente.
- O Quería ayudar a las personas.

---

12 ¿Cómo le ayudó su vida a escribir libros y poesía?

- O Escribió sobre amigos falsos.
- O Escribió sobre su amor por los animales.
- O Escribió sobre las cosas que le sucedieron.

---

13 ¿Qué hizo Maya Angelou en Nueva York?

- O Ella actúo en obras.
- O Ella conoció al presidente.
- O Ella ganó un premio especial.

Nombre ______________________

14 ¿Por qué era especial el poema que Maya Angelou leyó para el presidente?

- ○ El poema ganó un premio.
- ○ El poema apareció en un libro.
- ○ El poema apareció en una película.

15 Escribe sobre dos cosas que Maya Angelou hizo durante su vida. Usa ejemplos de la selección en tu escritura. Escribe tu respuesta en una hoja aparte.

Escritura: Narración

Piensa en algo especial que te haya sucedido. ¿Cómo lo describirías? En una hoja aparte, escribe sobre ese momento especial.

Nombre ______________________

Palabras de uso frecuente

Instrucciones: Escoge la palabra que mejor complete la oración.

1 Mi _______ es Luis Mata.

○ edad ○ nombre ○ estatura

2 ¡Ese _______ es muy complicado!

○ juego ○ ardilla ○ sándwich

3 Mi prima y yo tenemos el _______ apellido.

○ parecido ○ igual ○ mismo

4 El bebé llora _______ vez que ve al payaso.

○ cada ○ todo ○ algún

5 Mi mamá nos enseñó a _______ las botellas.

○ reciclar ○ comer ○ venir

Nombre ____________________

Fonética

Instrucciones: Lee cada oración y la pregunta que sigue. Escoge la respuesta correcta.

6 Hay un tractor en la granja.

¿Qué palabra tiene una combinación de consonantes tr como en tractor?

○ atrás ○ foto ○ tirantes

---

7 El caballo trota.

¿Qué palabra comienza con el sonido /*tro*/ como en trota?

○ triángulo ○ tronco ○ trata

---

8 Ayer cenamos frijoles.

¿Qué palabra contiene el sonido /*fr*/ como en frijoles?

○ francés ○ filo ○ fábula

---

9 El cofre es dorado.

¿Qué palabra tiene una sílaba con fre como en cofre?

○ azufre ○ felpa ○ delfín

---

10 La manzana es una fruta.

¿Qué palabra tiene una sílaba con fru como en fruta?

○ filo ○ fruncir ○ frágil

Comprensión de lectura

Instrucciones: Lee la selección y responde a las preguntas.

La Madre Teresa

1 Cuando la Madre Teresa era joven, quería ayudar a las personas de la India. Pero antes de ir a la India, aprendió a hablar inglés.

2 Cuando la Madre Teresa llegó a la India, aprendió otro idioma. Luego, abrió una escuela. Ella enseñó allí por muchos años.

3 La madre Teresa vio que muchas personas estaban enfermas y necesitaban ayuda. Ella decidió ayudar. Trabajó con médicos y enfermeras. Ayudó a las personas a recibir atención. Pronto, otras personas fueron a trabajar junto a ella.

4 Las personas vieron cómo la Madre Teresa ayudaba a los demás. La Madre Teresa ganó premios por su trabajo y personas de todo el mundo todavía la recuerdan.

Nombre ____________________

11 ¿Qué hizo la Madre Teresa antes de ir a la India?

- ○ Aprendió a enseñar.
- ○ Aprendió a hablar inglés.
- ○ Aprendió a cuidar a las personas enfermas.

12 ¿Qué hizo la Madre Teresa cuando llegó a la India?

- ○ Fue a un hospital.
- ○ Abrió una escuela.
- ○ Se convirtió en médico.

13 ¿Qué hizo la madre Teresa después de que comenzó a ayudar a las personas enfermas?

- ○ Viajó a otro país.
- ○ Decidió abrir otra escuela.
- ○ Trabajó con médicos y enfermeras.

14 Después de que la Madre Teresa abrió una escuela, ella

- ○ fue a la India.
- ○ aprendió a hablar inglés.
- ○ enseñó allí por muchos años.

---

15 Escribe sobre dos cosas que hizo la Madre Teresa para ayudar a las personas después de que llegó a la India. Escribe tu respuesta en una hoja aparte.

Escritura: Narración

Piensa en algún lugar que hayas visitado que sea muy diferente de tu hogar. ¿Cómo describirías el ambiente? ¿Cómo se veía? ¿Cuándo fuiste? En una hoja aparte, escribe sobre el ambiente del lugar que visitaste.

Nombre ____________________

Palabras de uso frecuente

Instrucciones: Escoge la palabra que mejor complete la oración.

1 El vecino compró un carro ______.

○ flaco ○ plano ○ nuevo

2 El águila ______ muy alto.

○ vuelas ○ volarán ○ vuela

3 El ______ es azul.

○ sol ○ cielo ○ nubes

4 Hay un ______ en el cielo.

○ aeroplano ○ barco ○ bicicleta

5 Mi tía vive en un ______ cercano.

○ pueblo ○ avión ○ mercado

Nombre ________________________

Fonética

Instrucciones: Escoge la palabra que mejor complete la oración.

6 Hay mucha ________ en la carretera.

O nieba O nievla O niebla

---

7 La cáscara de la ________ es ________.

O vlanta, vlanda O planta, blanda O blanta, planda

---

8 Los ________ son amarillos.

O blátanos O prátanos O plátanos

Instrucciones: Lee cada oración y la pregunta que sigue. Escoge la respuesta correcta.

9 Mi amigo compró un pliego de papel.

¿Qué palabra tiene el mismo sonido /*pl*/ que pliego?

O pantera O plumón O pelear

---

10 La blusa es rosada.

¿Qué palabra tiene el mismo sonido /*bl*/ que blusa?

O bloque O barniz O betún

Nombre ____________________

Comprensión de lectura

Instrucciones: Lee la selección y responde a las preguntas.

Ayudando a papá

1 A Clara le gustaba ayudar a su papá a bajar los plátanos de los árboles. Su papá subía al árbol. Luego, bajaba y le daba a Clara los plátanos. Ella los ponía en una canasta y ambos iban a vender los plátanos en el mercado.

2 Un día, Clara vio que su papá estaba cansado de subir y bajar del árbol. Ella tuvo una idea para ayudarlo.

3 Clara corrió a su casa y le contó la idea a su mamá. Su mamá dijo que era un gran plan.

4 Clara tomó la mejor canasta para su plan. Su mamá encontró una cuerda larga y Clara la ató a la canasta.

5 Clara y su mamá llevaron la canasta hasta el árbol y arrojaron la cuerda sobre una rama. Clara llamó a su papá. —¡Usa esto para ayudarte! —dijo.

6 Clara y su mamá tiraron de la cuerda y la canasta subió. Su papá puso ahí los plátanos y Clara y su mamá soltaron la cuerda lentamente. ¡La canasta y los plátanos bajaron!

7 —Ahora ya no tienes que subir y bajar tanto del árbol —le dijo Clara a su papá.

Nombre ______________________________

11 ¿Sobre qué trata el cuento?

- ○ Clara ayuda a su papá.
- ○ Aprender a trepar árboles.
- ○ Cómo es vivir cerca de un bosque.

---

12 ¿Por qué fue útil usar la cuerda?

- ○ Era larga y resistente.
- ○ La usaron para subir y bajar la canasta.
- ○ Ayudó a la mamá de Clara a trepar el árbol.

---

13 ¿Qué pasó después de que Clara y su mamá soltaron la cuerda lentamente?

- ○ La canasta subió hacia su papá.
- ○ Los plátanos llenaron la canasta.
- ○ La canasta y los plátanos bajaron.

Nombre ____________________

14 El tema del cuento es que

- ○ trabajar juntos facilita el trabajo.
- ○ hay demasiados plátanos que recoger.
- ○ Clara y su papá deben usar más canastas.

---

15 Escribe una oración sobre cómo Clara ayudó a su papá. Escribe tu respuesta en una hoja aparte.

Escritura: Narración

Piensa en algo que hiciste por tu cuenta. En una hoja aparte, escribe sobre lo que hiciste. Usa palabras como *primero, luego* y *después* para decir lo que hiciste.

Nombre ________________________

Palabras de uso frecuente

Instrucciones: Escoge la palabra que mejor complete la oración.

1 ¡Están tocando mi ________ favorita!

○ canción ○ reloj ○ color

2 ________ escuela está en la esquina.

○ Nueva ○ Nuestra ○ Nos

3 Todos somos parte de la ________.

○ socio ○ sociedad ○ social

4 Ella visitó el centro de la ________.

○ ciudad ○ pueblo ○ país

5 Ayer le ________ a mi abuelita que vive en California.

○ escribo ○ escribió ○ escribí

Nombre ____________________

Fonética

Instrucciones: Lee cada oración y la pregunta que sigue. Escoge la respuesta correcta.

6 La niñera carga al bebé con mucho cuidado.

¿Qué palabra contiene un diptongo ui como en cuidado?

○ huir ○ decir ○ reunir

---

7 Todos los días escribo en mi diario.

¿Qué palabra termina con el diptongo io como en diario?

○ dibujo ○ imperio ○ marino

---

8 El hielo se derritió.

¿Qué palabra contiene el sonido /*ie*/ como en hielo?

○ nadie ○ hervir ○ yeso

---

9 Mi papá rompió el vidrio accidentalmente.

¿Qué palabra contiene la terminación -*mente* como en accidentalmente?

○ mentiroso ○ rápidamente ○ afortunado

---

10 Seguramente mañana no habrá clases.

¿Qué palabra contiene la terminación -*mente* como en seguramente?

○ bruscamente ○ mentol ○ seguridad

Nombre ____________________

Comprensión de lectura

Instrucciones: Lee las selecciones y responde a las preguntas.

Bessie Coleman

1 En 1922, Bessie Coleman quería pilotar aviones. Las escuelas de vuelo de los Estados Unidos no la aceptaban porque era una mujer afroamericana. Pero Bessie no dejó que eso la detuviera. Asistió a una escuela de vuelo en Francia. Terminó el curso en siete meses. ¡A las personas les encantaba verla volar!

Los hermanos Wright

2 Orville y Wilbur Wright eran hermanos y venían de Ohio. Ellos querían construir aviones para que las personas pudieran volar. Trabajaron juntos para construir el primer avión. Observaron a las aves para obtener ideas sobre sus alas. Finalmente, los hermanos construyeron un avión y en 1903, realizaron un viaje corto.

Nombre ____________________

11 ¿En qué se parecen las dos selecciones?

- ○ Las dos tratan sobre aviones.
- ○ Las dos ocurren en el mismo año.
- ○ Las dos muestran cómo pilotar un avión.

12 ¿Qué es diferente sobre la primera selección?

- ○ Trata sobre pilotar aviones.
- ○ Trata sobre dos hermanos.
- ○ Trata sobre una mujer que pilota aviones.

13 ¿Qué hicieron los hermanos Wright que Bessie Coleman no hizo?

- ○ Los hermanos Wright asistieron a escuelas de vuelo.
- ○ Los hermanos Wright construyeron su propio avión.
- ○ Los hermanos Wright pilotaron aviones en Francia.

14 Los hermanos Wright estudiaron a las aves porque querían

- ○ mostrar a la escuela de vuelo cómo pilotar aviones.
- ○ aprender cómo las alas de los pájaros los ayudan a volar.
- ○ explicarle a las personas cómo pueden pilotar aviones los pilotos.

---

15 Escribe sobre una manera en que las historias se parecen y una manera en que se diferencian. Escribe tu respuesta en una hoja aparte.

Escritura: Narración

Bessie Coleman y los hermanos Wright hicieron cosas difíciles. Piensa en alguna ocasión en la que hiciste algo difícil. En una hoja aparte, escribe sobre lo que hiciste.

Nombre ____________________

Palabras de uso frecuente

Instrucciones: Escoge la palabra que mejor complete la oración.

1 Mi hermana _______ tiene 1 año.

○ enorme ○ pequeña ○ pequeño

2 Tu _______ me prestó su muñeca.

○ hermana ○ papá ○ tortuga

3 Puedo ver el mar _______ aquí.

○ para ○ allí ○ desde

4 Esa _______ es mi niñera.

○ niño ○ muchacha ○ hombre

5 El reloj _______ ya no sirve.

○ antiguo ○ bajo ○ vieja

Fonética

Instrucciones: Lee cada oración y la pregunta que sigue. Escoge la respuesta correcta.

6 Yo llevé a la playa mi nuevo salvavidas.

¿Qué palabra es una palabra compuesta como salvavidas?

○ malhumor ○ porque ○ caramelo

---

7 Mi mamá siempre usa un quitamanchas.

¿Qué palabra es una palabra compuesta como quitamanchas?

○ abrelatas ○ medicina ○ carrito

---

8 El perro del vecino es amistoso.

¿Qué palabra tiene el sufijo oso como en amistoso?

○ esponjoso ○ rosado ○ torso

---

9 El monumento es asombroso.

¿Qué palabra tiene el sufijo oso como en asombroso?

○ caprichoso ○ zarpazo ○ traspaso

---

10 Esa película es espantosa.

¿Qué palabra tiene el sufijo osa como en espantosa?

○ petirrojo ○ mentirosa ○ bellota

Comprensión de lectura

Instrucciones: Lee la selección y responde a las preguntas.

César Chávez

1 César Chávez nació en Arizona el 31 de marzo de 1927. Vivía cerca de una granja y observaba a los campesinos que trabajaban en las granjas. Ellos ayudaban a los dueños de las granjas a cultivar los alimentos. César veía que algunos granjeros trataban mal a los campesinos. Los campesinos no ganaban mucho dinero.

2 César quería ayudar a los campesinos. Les pidió a las personas que marcharan en señal de protesta, y muchas personas marcharon. Algunos incluso dejaron de consumir alimentos de las granjas. Esto mostraba cuánto les importaba el problema. Algunos granjeros comenzaron a tratar mejor a los campesinos. ¡César pudo mejorar la vida de los campesinos!

Nombre ______________________

11 ¿De qué trata principalmente esta historia?

- ○ La vida temprana de César Chávez.
- ○ Cómo trabajó César Chávez en las granjas.
- ○ Cómo ayudó César Chávez a los campesinos.

---

12 ¿Cómo sabía César Chávez que los campesinos eran maltratados?

- ○ Su familia trabajaba en granjas.
- ○ Aprendió sobre los campesinos en la escuela.
- ○ Vivía cerca de una granja y observaba a los campesinos.

---

13 ¿Qué hizo César Chávez para ayudar a los campesinos?

- ○ Trabajó en una granja.
- ○ Les dio clases a los campesinos.
- ○ Pidió a las personas que marcharan en señal de protesta.

Nombre ____________________

14 ¿Qué oración muestra una manera en que algunos campesinos eran maltratados?

- ○ *Los campesinos no ganaban mucho dinero.*
- ○ *Esto mostraba cuánto les importaba el problema.*
- ○ *Algunos incluso dejaron de consumir alimentos de las granjas.*

15 Escribe sobre una manera en que César Chávez ayudó a los campesinos. Escribe tu respuesta en una hoja aparte.

Escritura: Narración

Piensa en alguien a quien admiras. ¿Por qué admiras a esa persona? En una hoja aparte, escribe sobre por qué admiras a esa persona.

Nombre ______________________ Cada estación

Palabras de uso frecuente

Instrucciones: Escoge la palabra que mejor complete la oración.

1 Los copos de nieve _______ en invierno.

○ llueven ○ caen ○ suben

2 El _______ sopla fuerte.

○ viento ○ sol ○ nubes

3 Tito dijo que _______ vendrá a jugar mañana.

○ por qué ○ cuando ○ tal vez

4 Mamá dice que _______ seré tan alta como mi hermana.

○ ayer ○ pronto ○ a veces

5 Las nubes son _______.

○ verdes ○ blancas ○ rojas

Nombre ______________________________

Fonética

Instrucciones: Lee cada oración y la pregunta que sigue. Escoge la respuesta correcta.

6 Marcos siempre se ve muy arreglado.
¿Qué palabra contiene una combinación de consonantes gl como arreglado?

○ garganta ○ grupo ○ gladiador

---

7 Tenemos una nueva regla en nuestra clase.
¿Qué palabra tiene una sílaba que comienza con el sonido */gl/* como en regla?

○ agente ○ iglesia ○ girafa

---

8 El pintor está pintando la casa.
¿Qué palabra contiene el sufijo –ando como en pintando?

○ llamando ○ llamado ○ llamaba

---

9 Amanda está barriendo la calle.
¿Qué palabra contiene el sufijo –iendo como en barriendo?

○ movido ○ moviendo ○ movería

---

10 Mi hermana siempre está hablando por teléfono.
¿Qué palabra termina en el sufijo –ando como en hablando?

○ robado ○ rodado ○ rodando

Nombre ______________________

Comprensión de lectura

Instrucciones: Lee la selección y responde a las preguntas.

El otoño

1 Cada septiembre, las hojas de los árboles comienzan a cambiar porque llega el otoño. Estas son algunas cosas que puedes hacer en el otoño.

Recoger manzanas

2 El otoño es un buen momento para recoger manzanas. Hay muchos tipos para escoger. Hay manzanas verdes y manzanas rojas. Puedes comerlas como un refrigerio saludable.

Ver los colores

3 En el otoño las hojas cambian de color. Es divertido ir a caminar para ver los colores de las hojas. Los diferentes árboles se vuelven de diferentes colores. Algunas personas incluso recolectan las hojas que caen al suelo.

Saltar las hojas

4 Cuando veas que hay muchas hojas en el suelo, trata de saltarlas. Tú y tus amigos pueden rastrillar las hojas y ponerlas en una enorme pila. Asegúrate de que no haya nada peligroso en la pila, como palos o piedras y entonces, ¡salten!

Nombre ______________________

11 ¿Qué describe principalmente esta selección?

- ○ La mejor manera de saltar las hojas en el otoño.
- ○ Cómo recoger las mejores manzanas en el otoño.
- ○ Las actividades que las personas pueden hacer en el otoño.

---

12 La sección llamada "Recoger manzanas" describe

- ○ los diferentes colores de las manzanas.
- ○ los diferentes lugares donde puedes encontrar manzanas.
- ○ por qué el otoño es un buen momento para recoger manzanas.

---

13 En el texto, ¿qué sucede cuando llega el otoño?

- ○ El clima se vuelve mucho más cálido.
- ○ Las personas se quedan en sus casas.
- ○ Las hojas se vuelven de diferentes colores.

14 Las descripciones del otoño en la selección sugieren que

- O es la mejor época del año para plantar manzanos.
- O se pueden hacer muchas actividades en esa estación.
- O es la única época del año en que las hojas son verdes.

---

15 En una hoja aparte, escribe los pasos que debes seguir para saltar las hojas.

Escritura: Libro sobre cómo hacer algo

Saltar las hojas tiene pasos en orden. Piensa en algo que te gusta hacer que tenga pasos en orden. En una hoja aparte, escribe lo que te gusta hacer y enumera los pasos que sigues para hacerlo.

Nombre ______________________

Palabras de uso frecuente

Instrucciones: Escoge la palabra que mejor complete la oración.

1 En la primavera, las hojas de los árboles son de color ______.

○ azul ○ verde ○ negro

2 Yo quería comprar un helado, ______ no me alcanzó el dinero.

○ pero ○ como ○ porque

3 ¡Claudia se puso la blusa ______!

○ afuera ○ de revés ○ al revés

4 Mi familia y yo comeremos ______.

○ lejos ○ ayer ○ fuera

5 Hoy tengo que ______ muchas tareas domésticas.

○ tratar ○ hacer ○ poner

Nombre ______________________________

Fonética

Instrucciones: Lee cada oración y la pregunta que sigue. Escoge la respuesta correcta.

6 El flan es mi postre favorito.

¿Qué palabra tiene la misma combinación de consonantes fl que flan?

○ faro ○ fama ○ flama

---

7 El carro tiene una llanta desinflada.

¿Qué palabra tiene una sílaba que comienza con fl como en desinflada?

○ farmacia ○ conflicto ○ afrontar

---

8 Ayer fui a jugar al parque y hoy estoy cansado.

¿Qué palabra tiene el sufijo -ado como en cansado?

○ parado ○ parando ○ asadero

---

9 La tienda está cerrada.

¿Qué palabra tiene el sufijo -ada como en cerrada?

○ barba ○ mojada ○ cerrando

---

10 La nueva película es muy aburrida.

¿Qué palabra tiene el sufijo -ida como en aburrida?

○ atrevido ○ morada ○ atrevida

Nombre ______________________

Comprensión de lectura

Instrucciones: Lee la selección y responde a las preguntas.

Las estaciones pueden ser diferentes

1 Hay cuatro estaciones en un año. Las estaciones no son iguales en todos lados.

2 La Tierra tiene una línea invisible que pasa por su centro y parece un cinturón. Se llama el ecuador. En muchos lugares cerca del ecuador, hace calor todo el año. No hay días fríos.

3 Las hojas no cambian de color. No se caen de los árboles. Las plantas crecen todo el año. Esto significa que los granjeros pueden cultivar alimentos como plátanos y maíz durante todo el año.

4 Las personas que viven en estos lugares calurosos no llaman a las estaciones invierno, primavera, verano y otoño. En cambio, tienen una estación húmeda y una estación seca. Llueve mucho en la estación húmeda. La estación seca recibe mucho sol.

Estación seca: de enero a marzo

Estación húmeda: de mayo a diciembre

Nombre ___________________________

11 ¿Qué le indican al lector los rótulos que están debajo de las ilustraciones?

○ El lugar que muestran las ilustraciones.

○ Las estaciones que muestran las ilustraciones.

○ El nombre de la niña que aparece en las ilustraciones.

---

12 ¿Qué oración de la selección se muestra en las ilustraciones?

○ *Se llama el ecuador.*

○ *La estación seca recibe mucho sol.*

○ *Las hojas no cambian de color ni se caen de los árboles.*

---

13 ¿Por qué el autor incluyó las ilustraciones?

○ Para mostrar las cuatro estaciones.

○ Para mostrar cómo es vivir con dos estaciones.

○ Para mostrar que el ambiente está seco durante todo el año.

Nombre ______________________

14 Según lo que muestran las ilustraciones, ¿a qué conclusión puede llegar el lector sobre vivir en un lugar con dos estaciones?

- ○ La estación húmeda es la más corta.
- ○ La estación húmeda es más larga que la estación seca.
- ○ Las estaciones seca y húmeda duran aproximadamente lo mismo.

15 En una hoja aparte, escribe sobre algo que las personas podrían hacer en un lugar con solo dos estaciones.

Escritura: Libro sobre cómo hacer algo

¿Cuál es tu estación favorita? En una hoja aparte, escribe instrucciones simples para un juego que te guste jugar durante tu estación favorita.

Nombre ______________________

Palabras de uso frecuente

Instrucciones: Escoge la palabra que mejor complete la oración.

1 Mi ______ favorita es el verano.

○ hora ○ estación ○ vacación

2 Hoy es martes, mañana será ______.

○ miércoles ○ jueves ○ domingo

3 A la camisa le falta un ______.

○ botón ○ bolsón ○ abrigo

4 Hoy es domingo, ayer fue ______.

○ lunes ○ martes ○ sábado

5 El padre de mi mamá es mi ______.

○ primo ○ abuelo ○ hermano

Nombre ______________________________

Fonética

Instrucciones: Lee cada oración y la pregunta que sigue. Escoge la respuesta correcta.

6 La multitud aclamó al equipo de futbol.

¿Qué palabra contiene una combinación de consonantes cl como en aclamó?

○ calmar ○ maleta ○ bicicleta

---

7 Susana llegó tarde a la clase de química.

¿Qué palabra comienza con el mismo sonido /*cl*/ que clase?

○ casa ○ clima ○ cima

---

8 María perdió su compás.

¿Qué palabra tiene el acento escrito en la sílaba tónica correcta como en compás?

○ además ○ basicá ○ mascára

---

9 Mi tío tiene un carro eléctrico.

¿Qué palabra tiene el acento escrito en la sílaba tónica correcta como en eléctrico?

○ éjercito ○ témpano ○ cámion

---

10 El miércoles tendremos un examen.

¿Qué palabra tiene el acento escrito en la sílaba tónica correcta como en miércoles?

○ límon ○ ávion ○ sábado

Comprensión de lectura

Instrucciones: Lee la selección y responde a las preguntas.

Por qué el verano es la mejor estación

1 Yo creo que el verano es la mejor estación.

2 El clima por lo general es soleado y los días son cálidos. Puedo usar camisetas y pantalones cortos. Casi nunca necesito una chaqueta.

3 El verano tiene los días con más horas de luz del sol. Puedo jugar afuera por más tiempo todos los días.

4 Otra razón por la que el verano es la mejor estación es porque puedo comer afuera. Puedo comer al aire libre con mi familia. Me encanta comer verduras asadas en la parrilla.

5 Cada estación tiene cosas divertidas que hacer, pero el verano es la mejor de todas.

Nombre ____________________

11 ¿Qué quiere el autor que el lector piense sobre el verano?

- ○ Que tiene demasiadas horas de luz del sol.
- ○ Que es la estación más divertida de todas.
- ○ Que no hay mucho que hacer durante el verano.

---

12 Para convencer a los lectores de que el verano es la mejor estación, el autor

- ○ compara el verano con el invierno.
- ○ habla sobre unas vacaciones de verano especiales.
- ○ da ejemplos de por qué el verano es mejor que otras estaciones.

---

13 Un dato que el autor resalta sobre el verano es que

- ○ hay mucha más luz del sol.
- ○ la ropa es más abrigadora.
- ○ es más fácil comer adentro.

14 El autor usa el detalle de más luz del sol para convencer al lector

- ○ de quitarse el abrigo.
- ○ de que el verano es la mejor estación.
- ○ de tener un almuerzo al aire libre en casa con su familia.

---

15 En una hoja aparte, escribe las razones que da el autor en el párrafo 2 por las que le gusta más el verano.

Escritura: Libro sobre cómo hacer algo

Piensa en una actividad que solo hagas en el verano. En una hoja aparte, escribe los pasos necesarios para realizar esa actividad.

Nombre ____________________

Palabras de uso frecuente

Instrucciones: Escoge la palabra que mejor complete la oración.

1 ¡Está lloviendo y no traje paraguas ______ impermeable!

○ ya ○ ni ○ que

2 No fui a la escuela porque ______ enfermo.

○ soy ○ está ○ estoy

3 En el museo hay muchos objetos antiguos con ______ extraños.

○ signos ○ lápices ○ cartas

4 Espera, me ______ de ropa y salgo a jugar al fútbol contigo.

○ caigo ○ canso ○ cambio

5 El próximo lunes ______ el verano.

○ empezó ○ empieza ○ empezar

Nombre ____________________

Fonética

Instrucciones: Lee cada oración y la pregunta que sigue. Escoge la respuesta correcta.

6 Después de hacer la tarea voy a ver un video.

¿Qué palabra tiene el hiato eo como en video?

○ hornero ○ miel ○ aseo

---

7 Mi maestra se llama Rita.

¿Qué palabra tiene el hiato ae como en maestra?

○ tarea ○ extraer ○ zapato

---

8 La pizza es de anchoas.

¿Qué palabra tiene el hiato oa como en anchoas?

○ oasis ○ ancho ○ reacción

---

9 Mi tía vive en Europa.

¿Qué palabra tiene un diptongo como en Europa?

○ Rosita ○ deuda ○ cavando

---

10 El perro del vecino está aullando.

¿Qué palabra tiene un diptongo como en aullando?

○ amarillo ○ ubicar ○ pausa

Nombre ______________________________

Comprensión de lectura

Instrucciones: Lee la selección y responde a las preguntas.

La primavera está en el aire

1 Era un día fresco a principios de abril. Carla y su mamá estaban caminando hacia la parada del autobús.

2 —Mamá, ¿ves todos los cambios? —preguntó Carla. Se detuvo y miró a su alrededor.

3 —¿Qué quieres decir? —preguntó su mamá.

4 —Hace algunas semanas, no había flores. Ahora veo algunas flores moradas y amarillas. También veo pájaros con plumas rojas. No los vi durante todo el invierno. Puedo ver brotes en los árboles. Parece que la naturaleza está cambiando —dijo Carla.

5 —Lo está —dijo su mamá—. Estás viendo señales de que la primavera está en camino.

6 Las flores, los árboles y las aves se estaban preparando para un clima más cálido.

7 —Seguiré buscando más señales en las próximas semanas —dijo Carla—. Me pregunto qué veré a continuación.

Nombre ______________________

11 Esta selección trata principalmente sobre

- ○ notar que se acerca la primavera.
- ○ una larga caminata hasta la parada del autobús.
- ○ cómo la naturaleza puede jugar trucos con las estaciones.

---

12 ¿Cuál de las siguientes oraciones de la selección describe su tema, o idea principal?

- ○ *Mamá, ¿ves todos los cambios?*
- ○ *Era un día fresco a principios de abril.*
- ○ *—¿Qué quieres decir? —preguntó su mamá.*

---

13 ¿Cómo ayuda Carla a mostrar el tema de la selección?

- ○ Ella hace preguntas sobre qué tan lejos deben ir.
- ○ A ella no le gusta caminar hasta la parada del autobús.
- ○ Ella habla sobre las diferentes cosas que ve en la naturaleza.

Nombre ____________________

14 La selección tiene detalles sobre flores coloridas y pájaros. ¿Cuál es otro tema de la selección?

- ○ A Carla le gusta pasar el tiempo con su mamá.
- ○ La belleza de la naturaleza cambia cada estación.
- ○ Carla y su mamá se interesarán más por las flores.

15 En una hoja aparte, escribe sobre dos detalles de la selección que muestran que la primavera se acerca.

Escritura: Libro sobre cómo hacer algo

¿Qué actividad te gusta hacer en la primavera? En una hoja aparte, escribe sobre cómo realizar esa actividad.

Nombre ____________________

Palabras de uso frecuente

Instrucciones: Escoge la palabra que mejor complete la oración.

1 Este _______ de semana voy a ir a la playa.

○ jueves ○ fin ○ termina

2 Luisa siempre _______ a jugar a mi casa.

○ vino ○ vinieron ○ viene

3 La alarma _______ suena a las 8 *a. m.*

○ ayer ○ es ○ siempre

4 ¿_______ nos llevará este camino?

○ Cuándo ○ Cómo ○ Adónde

5 Yo no quería ir, pero _______ final acepté.

○ a ○ al ○ el

 Nombre ______________________________

Fonética

Instrucciones: Lee cada oración y la pregunta que sigue. Escoge la respuesta correcta.

6 El músico usa una boina.
¿Qué palabra tiene el diptongo oi como en boina?
○ hocico ○ hortaliza ○ heroico

7 El mecánico le cambió el aceite al carro.
¿Qué palabra tiene el diptongo ei como en aceite?
○ fútbol ○ peine ○ cielo

8 El rey vive en un palacio.
¿Qué palabra tiene un diptongo como en rey?
○ maguey ○ yendo ○ yoyo

9 Compré una rosquilla en la panadería.
¿Cuál es la raíz de la palabra panadería?
○ pana ○ pan ○ nadería

10 Por la tarde, el cielo se ve anaranjado.
¿Cuál es la raíz de la palabra anaranjado?
○ ajado ○ naranjado ○ naranja

Comprensión de lectura

Instrucciones: Lee la selección y responde a las preguntas.

Mantener el calor en el invierno

1 Tal vez sepas que algunas aves vuelan a lugares cálidos en el invierno. Otras permanecen en el mismo lugar todo el año, pero deben mantener el calor de sus cuerpos cuando hace frío.

2 Las aves tienen diferentes maneras de mantener el calor en el invierno. Una manera en que la mayoría de las aves hacen esto es pasando tiempo bajo el sol.

3 Muchas aves comen mucho antes de la primera nevada. Engordar les ayuda a mantener el calor.

4 Muchas aves grandes desarrollan más plumas. Esto mantiene el calor, como si usaran un abrigo.

5 A algunas aves les gusta sentarse juntas. Así comparten el calor de sus cuerpos.

6 Otras aves esponjan sus plumas. Esto atrapa el calor de su cuerpo.

7 La próxima vez que veas un ave en el invierno, intenta descubrir cómo mantiene el calor.

Nombre ____________________

11 ¿Qué te indica el texto que no te indican las ilustraciones?

- ○ Las aves esponjan sus plumas para mantener el calor.
- ○ Las aves se sientan juntas para mantener el calor en el invierno.
- ○ Las aves deben comer mucho antes de que llegue la primera nevada.

---

12 ¿De qué manera se relaciona la primera ilustración con la selección?

- ○ Muestra aves jugando en la nieve.
- ○ Muestra aves comiendo semillas del suelo.
- ○ Muestra una manera en que las aves pueden mantener el calor.

---

13 ¿Por qué el autor incluyó las ilustraciones en la selección?

- ○ Para mostrar a las personas las maneras en que las aves pueden mantener el calor.
- ○ Para explicar cómo las aves pueden formar diferentes grupos.
- ○ Para describir los diferentes alimentos que comen las aves en el invierno.

14 La ilustración que está junto al párrafo 6 muestra

- ○ los diferentes tipos de aves de invierno.
- ○ los diferentes lugares a los que van las aves en el invierno.
- ○ la manera en que las aves esponjan sus plumas en el invierno.

---

15 En una hoja aparte, usa dibujos y palabras para describir las ideas principales de “Mantener el calor en el invierno”.

Escritura: Libro sobre cómo hacer algo

¿Cómo mantienes el calor en el invierno? En una hoja aparte, escribe instrucciones sobre qué puede hacer una persona para mantener el calor cuando hace frío en el invierno.

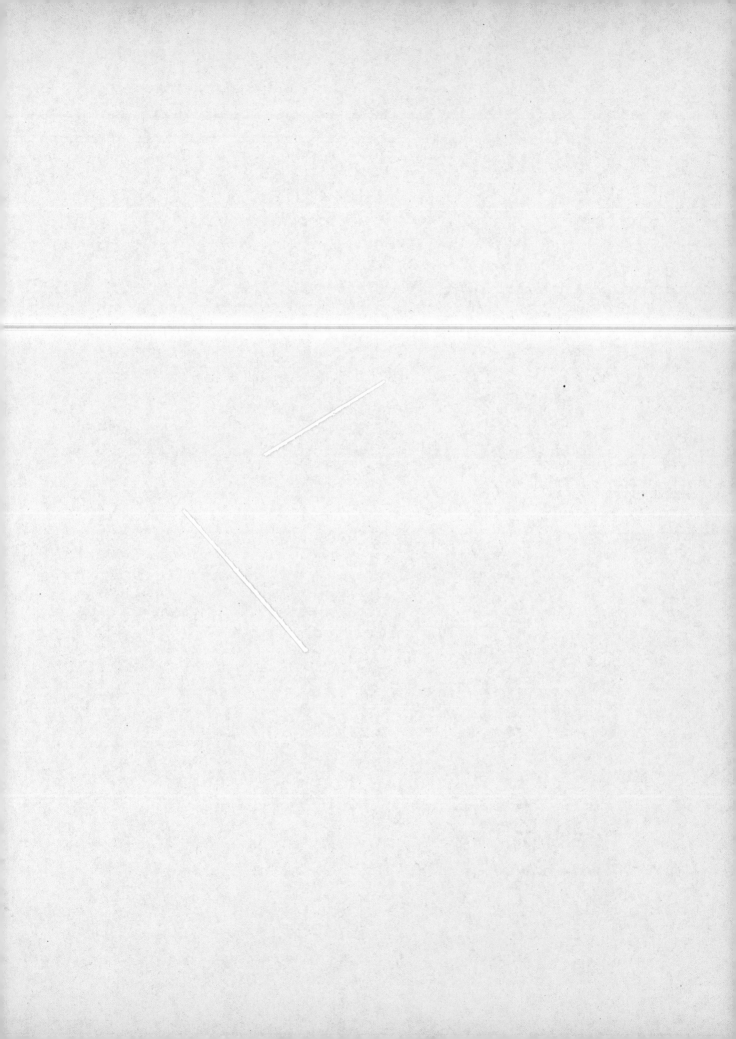